LA VIE COMPLIQUÉE DE Léa Olivier

9. RÉSOLUTIONS

CATHERINE GIRARD-AUDET

Gouvernement du Québec – Programme de crédit d'impôt
pour l'édition de livres – Gestion Sodec

Nous reconnaissons l'aide financière du gouvernement du Canada par l'entremise du Fonds du livre du Canada pour nos activités d'édition.

La vie compliquée de Léa Olivier, 9. Résolutions

info@lesmalins.ca

Directrice littéraire : Ingrid Remazeilles
Éditeur : Marc-André Audet
Illustration et conception de la couverture : Veronic Ly
Photographie de Catherine : Karine Patry
Mise en page : Diane Marquette

Dépôt légal – Bibliothèque et Archives nationales du Québec, 2016
Dépôt légal – Bibliothèque et Archives Canada, 2016

ISBN : 978-2-89657-409-4

Imprimé au Canada

Les éditions les Malins inc.
Montréal (Québec)

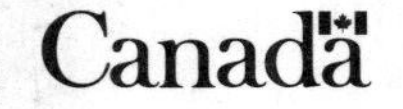

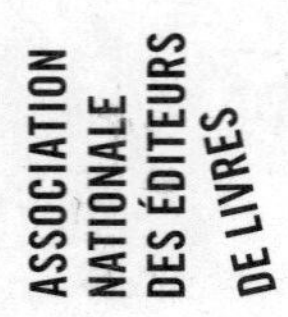

LA VIE COMPLIQUÉE DE Léa Olivier

CATHERINE GIRARD-AUDET

«À Loulou, qui un jour en Afrique m'a encouragée
à prendre de grandes résolutions,
et sans qui je n'en serais pas là aujourd'hui!»

Chapitre 1 : Rejetitude et moissonneuse-batteuse

À : Marilou33@mail.com
De : Léa_jaime@mail.com
Date : Mercredi 4 novembre, 18 h 49
Objet : Ark, beurk, vomi

Lou ! Reviens vers moi. Laisse-toi guider par la lumière (ou plutôt par le grand trou noir qu'est ma vie) et viens me tenir compagnie. Ta présence en ville était ma seule raison de sourire ! Je sais que tu ressens le besoin d'être auprès de JP, mais tu peux l'amener avec toi. De toute façon, j'ai aussi besoin de nouveaux amis. Au printemps, les gens normaux font le grand ménage de leur garage et de leur garde-robe, et à l'automne, Léa Olivier fait le ménage de sa vie.

Comme tu peux le constater, mon quotidien est devenu un grand chaos depuis ton départ. À la maison, je m'enferme dans ma chambre pour éviter de voir (et d'étriper) mon frère. Je sais que ce n'est pas de mes affaires, mais je trouve ça tellement con qu'il se soit réfugié dans les bras de Katherine pour enterrer sa peine d'amour ! Et que dire d'elle, qui a profité de l'état pathétique avancé de Félix pour oublier qu'elle était amoureuse de mon ex ?

À l'école, je dois m'inventer des raisons pour fuir la cafétéria afin de ne pas croiser le regard coupable de Katherine qui ne m'a toujours pas avoué ce qu'elle avait fait, ou alors pour éviter Alex, qui utilise l'humour pour essayer de me faire oublier qu'on s'est embrassés il y a dix jours et qu'il m'a complètement rejetée la fin de semaine dernière. Si j'étais mature, je suivrais les conseils de mon grand gourou Manu et je serais honnête avec lui. J'irais le voir et je lui dirais : « Alex, je sais que je t'ai fait croire que j'étais du même avis que toi vendredi dernier, mais j'ai menti. Je n'ai pas envie de me contenter de ton amitié. Ce que je veux, c'est toi. Je t'aime, et si ce n'est pas réciproque, alors il vaut mieux qu'on coupe les ponts pendant un bout pour que je m'en remette. Même si je ne crois pas que ce soit possible, puisque j'ai la profonde conviction que tu es l'amour de ma vie. »

Mais à la place, je lui fais un petit salut gêné lorsque je le croise dans le corridor et je fais semblant d'avoir des réunions importantes ou des examens à étudier pour éviter de le voir rigoler avec Bianconne (oui, j'ai volé le surnom que Maude lui a donné !). Et comme je n'ai aucune envie de me rendre au local du comité du bal et de manger en tête à tête avec Maude, je me réfugie dans le local du journal où je mange mon sandwich au jambon en jouant à *Angry Birds*. Tu as bien lu : ta *best* est tombée dans les bas-fonds de la rejetitude, comme à ses tout premiers débuts à Montréal.

Ce midi, j'ai toutefois réalisé que certaines personnes de mon entourage s'inquiétaient pour moi.

Éloi (en frappant à la porte du local) : Allo ? Il y a quelqu'un ?
Moi (en levant les yeux vers lui) : Je pense que je fais encore partie de la catégorie des humains.
Jeanne (en s'avançant vers moi et en s'assoyant sur une chaise) : On vient te chercher, Léa.
Moi : Pourquoi ?
Éloi : Parce que tu ne peux pas passer le reste de l'année scolaire cachée ici.
Moi (en haussant les épaules) : Je trouve au contraire que c'est un endroit idéal pour faire mes devoirs, avancer mes articles, préparer ma demande pour le cégep et même faire mes recherches pour le bal.

Éloi et Jeanne se sont contentés de me dévisager.

Moi (en déposant mon sandwich sur la table et en me tournant vers Jeanne) : J'en déduis qu'Éloi t'a raconté ce qui s'était passé vendredi soir ?
Jeanne : Oui, mais ne lui en veux pas. J'étais inquiète pour toi. Tu es partie en coup de vent du party, tu ne m'as pas rappelée et tu passes tout ton temps ici depuis lundi...
Moi : C'est correct. Je suis contente qu'Éloi se soit chargé de te résumer ma vie. Ça m'évite de devoir le faire. J'ai tellement honte...
Jeanne (en prenant ma main) : Honte de quoi, Léa ?

Moi (en sentant les larmes me piquer les yeux) : D'avoir été assez cruche pour croire pendant une fraction de seconde qu'Alex pouvait m'aimer, lui aussi.
Jeanne : Alors Kath, Éloi et moi sommes aussi niaiseux que toi, car nous y avons tous cru !
Moi : Pff. S'il m'aimait tant que ça, il ne se contenterait pas de vouloir « être mon ami ».
Jeanne : Ouais, mais j'en parlais à Katherine, et on pense que...
Moi : Ne me parle pas d'elle, s'il te plaît.
Jeanne : Pourquoi ? Es-tu encore fâchée à cause d'Oli ? Je croyais que tu m'avais dit que tu étais OK avec le fait qu'elle lui avoue ses sentiments ?
Moi : Je l'étais, aussi.
Éloi : Alors qu'est-ce qui a changé ?

J'ai fermé la porte du local pour m'assurer que personne n'entende.

Moi : Vendredi soir, quand je suis partie du party, je l'ai surprise en train d'embrasser mon frère dans son auto. Je comprends qu'elle capote parce qu'elle a peur de m'avouer ce qu'elle ressent pour mon ex, mais je ne crois pas que le fait de se lancer dans les bras de mon frère va l'aider à résoudre son problème.

Éloi a ouvert la bouche, stupéfait, tandis que Jeanne secouait la tête d'un air découragé.

Moi : J'en déduis qu'elle ne vous a rien dit ?
Éloi : Non. Et Félix non plus.
Moi : Ça ne m'étonne pas. Ils ne doivent pas être super fiers de leur exploit.
Jeanne : C'est typique de Kath, ça. Je ne sais pas pourquoi, mais elle a tellement le don de prendre de mauvaises décisions quand il est question de gars. Et ce qui est poche, c'est que ça affecte souvent ses amitiés.

La cloche est venue interrompre notre discussion.

Jeanne : Je crois que tu devrais lui en parler.
Moi : Genre lui dire que non seulement je sais qu'elle aime mon ex, mais qu'en plus, je suis au courant qu'elle a *frenché* mon grand frère ?
Jeanne : Ouais. Le mieux, c'est de régler ça en étant honnête avec elle.
Éloi : Je suis d'accord.
Moi : Je vais y penser.

J'ai ramassé mes affaires et j'ai suivi Jeanne jusqu'au local de français. La prof est entrée, suivie de près par... Alex. J'ai aussitôt baissé les yeux.

Mais qu'est-ce qu'il fait là, lui ? Aux dernières nouvelles, il était dans le groupe 51 !

La prof : Avant de commencer le cours, votre président aimerait vous parler d'un projet.

La classe a sifflé et applaudi pour accueillir Alex.

Alex (en faisant des saluts à la foule) : Merci, merci ! Vous êtes trop gentils.
Bianca : Et toi, t'es trop sexy !
La classe : Ouuuh !

J'ai roulé les yeux. Le regard d'Alex s'est alors posé sur moi et il m'a souri. J'ai détourné le regard en guise de réponse.

La prof : Alex, tu peux commencer.
Alex : J'ai eu un super flash en fin de semaine lorsque Bianca m'a parlé de son dernier voyage.
Bianca : Avoir su que j'allais être citée, je t'aurais demandé une commission, chéri !

Elle me pompait tellement l'air. Non seulement j'apprenais qu'elle avait de l'influence sur Alex, mais voilà qu'elle se prenait maintenant pour la reine de la classe. Relaxe, Bibi ! Ça fait à peine deux mois que tu es ici !

Alex : J'ai réalisé que c'est ce genre d'expérience qui reste gravée dans nos mémoires, et que ce serait cool de terminer notre secondaire en pouvant partager une aventure débile. C'est pourquoi j'ai eu l'idée d'organiser un voyage pour les finissants. J'en ai parlé à la direction, qui m'a donné le feu vert. J'ai donc passé quelques coups de fil aux agences avec lesquelles l'école a déjà fait affaire dans le passé, et il semblerait que la destination que j'avais en tête soit chose du possible.
Bianca (en frappant des mains) : Vas-y, Alex ! Dis-leur !
Maude : Relaxe, l'échalote !

Pour une fois, je supportais l'intervention acerbe de la reine des nunuches (surtout qu'elle ne s'adressait pas à moi !).

Bianca (en secouant la tête) : C'est toi qui devrais accrocher un sourire à ton visage, Maude. Moi, je ne fais qu'encourager mon ami pour son super projet !
Jeanne : Alors, c'est quoi, la ville ?
Alex (en souriant) : Paris.

J'ai eu le souffle coupé. Alex organisait un voyage dans la ville que je rêvais de visiter depuis toujours. Je m'imaginais déjà en train de marcher sur les quais de la Seine, main dans la main avec lui.

Bianca : La Ville Lumière !

La voix de Bibi m'a ramenée les deux pieds sur terre. Tout à coup, je me voyais plutôt assise à la terrasse d'un café en train de pleurer, tandis qu'Alex et elle dansaient au pied de la tour Eiffel !

Jeanne (en se tournant vers moi) : Wow ! Léa, il faut y aller !
Un autre élève : C'est quand ?
Alex : On vise la mi-mai. Ce serait un séjour d'une semaine. Évidemment, il va falloir en discuter avec les profs pour que ceux qui participent au voyage puissent rattraper le temps perdu en faisant une recherche ou un rapport à propos de leur expérience. Il faut aussi que vos parents acceptent de financer une partie du voyage. Pour le reste, il faut ramasser de l'argent. Beaucoup d'argent.
Marianne : Et comment comptes-tu t'y prendre ?
Maude : Je sais ! Tu n'as qu'à demander à Bibi de charger de l'argent pour *frencher* les gars de secondaire un !

J'ai étouffé un rire.

Maude (en se tournant vers moi) : Sinon, on peut faire payer les gens pour assister à un exposé oral d'anglais de face de tomate. Après tout, c'est encore plus drôle qu'un show d'humour.
Moi (du tac au tac) : Ou on pourrait te couper les cheveux et les vendre pour faire des perruques.

Bianca (en nous parlant comme si nous étions ses petites sœurs de trois ans) : Les filles, arrêtez de vous disputer ! Alex et moi allons prévoir des activités de financement super efficaces, et comme nous avons six mois devant nous, je suis sûre que nous pourrons atteindre notre objectif.
Alex : La première chose que je dois savoir, c'est le nombre d'élèves intéressés par le voyage.

La classe au complet a levé la main.

Alex (en nous distribuant une feuille et en riant) : Commencez par en parler à vos parents. Je sais que le prix demandé est assez élevé, mais il faut penser au billet d'avion, à l'hébergement, à la nourriture et aux activités. Bref, ceux qui obtiennent le OK et le chèque parental doivent me le dire et me le faire parvenir au plus tard le 13 novembre. Le nombre d'élèves inscrits nous permettra aussi d'avoir une meilleure idée de ce qu'on doit prévoir pour l'organisation.

Il a continué à distribuer son dépliant, puis s'est arrêté à côté de mon bureau. Comme les élèves discutaient maintenant entre eux, il en a profité pour s'agenouiller et me sourire.

Alex : Salut, toi.

Moi (en gardant les yeux rivés sur la feuille qu'il venait de me tendre) : Salut.
Alex : Ça va ? C'est à peine si tu m'as adressé deux mots depuis vendredi...
Moi (en le regardant et en m'efforçant de sourire) : Oui, oui. Je... Marilou était en ville et j'ai été occupée. Mais c'est cool ton projet. Et c'est le *fun* que Bibi partage toutes ses belles expériences avec toi.

Je n'ai pu m'empêcher de prononcer cette dernière phrase avec une pointe de sarcasme.

Alex (en ne saisissant pas ma raillerie) : C'est vrai qu'elle a beaucoup voyagé.
Moi (en riant nerveusement) : Moi aussi j'aime ça quand Oli me raconte tout ce qu'il a vécu aux quatre coins du monde.
Alex (en haussant un sourcil) : Oli ?
Moi (en parlant beaucoup trop vite) : Oui. On est amis, maintenant.
Alex : Ah... Je ne savais pas.
Moi (en poursuivant d'un ton nerveux) : Ben, tu sais, ce n'est pas parce que ça ne fonctionne pas avec quelqu'un en amour que ça ne peut pas cliquer en amitié. C'est le cas d'Éloi et moi. Et de Jeanne et toi. Et même de toi et moi !

J'ai feint un rire et Alex a froncé les sourcils.

Alex : Léa, je n'aime pas ça que tu mettes notre amitié dans cette catégorie. Dans ma tête, c'est un peu plus... compliqué que ça.
Moi (en me forçant à sourire) : Je sais.
Alex : T'es sûre ? Parce que je ne voudrais surtout pas que notre discussion de vendredi t'ait blessée, ou que tu m'aies mal compris.

Je t'ai très bien compris. Et tu m'as brisé le cœur.

Moi (en souriant de plus belle) : Je vais très bien, Alex. J'ai juste eu une semaine de fou.

La prof nous a rappelés à l'ordre, ce qui a forcé Alex à se diriger vers la sortie.

La prof : Maintenant, retournons à nos moutons. Si vous vous souvenez bien, lors du dernier cours, nous avons discuté du groupe participial...

Elle a continué sa leçon de grammaire, mais je ne l'écoutais que d'une oreille distraite. Je voyais bien qu'Alex sentait mon malaise, mais je ne savais pas quoi faire pour que les choses redeviennent comme avant. En fait, j'ignorais si j'étais capable d'agir comme si de rien n'était.

D'un autre côté, j'étais consciente que c'est moi qui avais choisi de lui cacher la vérité et d'acquiescer quand il m'a dit que notre amitié était trop précieuse pour risquer de tout perdre, et qu'il fallait que j'assume ma décision.

Jeanne a lancé un projectile sur mon bureau, ce qui a interrompu ma réflexion.

J'ai discrètement lissé le bout de papier pour lire son message.

Il faut absolument aller à Paris ensemble.

J'ai souri et j'ai griffonné une réponse avant de la lancer sur son bureau.

Ce serait débile ! On en parle à nos parents ce soir ?

Elle a hoché la tête en souriant.

Même si l'idée de voir Bianca se pendre au cou d'Alex pendant une semaine me donne envie de vomir, il est hors de question que ça m'empêche de réaliser mon rêve de visiter Paris avec l'une de mes meilleures amies.

Après l'école, j'ai donc arboré mon plus beau sourire quand mes parents sont rentrés du travail.

Moi : Alors, vous avez eu une bonne journée ?

Mon père (en haussant un sourcil) : Qu'est-ce qu'on peut faire pour toi, Léa ?
Moi : Pff ! Une fille ne peut pas s'intéresser à ses parents sans avoir une arrière-pensée ?
Mon père (en souriant) : Non.

J'ai soupiré et je lui ai tendu le feuillet présentant le voyage à Paris.

Moi : Je sais que ce n'est pas donné, mais je suis prête à travailler pour payer ma part.

Les yeux de mon père se sont exorbités comme des dollars. Il semblait choqué par la contribution demandée. Je me suis donc lancée dans l'énumération de mes arguments avant qu'il ne jette la feuille au recyclage.

Moi : C'est une expérience dont je me souviendrai toute ma vie. Et vous savez à quel point les voyages forment la jeunesse ! Ça, c'est sans compter que c'est mon rêve d'aller en France !

Félix s'est alors matérialisé derrière mon père et a jeté un coup d'œil au feuillet par-dessus son épaule.

Félix (d'un ton blasé) : Ne va pas là, Léa. Je sais que tu crois que Paris est une ville romantique où les rêves deviennent réalité, mais je suis bien placé pour te dire que c'est tout le contraire.
Moi (en soupirant) : Je ne vais pas là pour rencontrer l'amour, niaiseux. Je veux visiter Paris parce que c'est une ville remplie d'histoire et de richesses.
Félix (en me dévisageant) : Ça sort d'où, ce beau discours-là ? De Wikipédia ?
Moi (irritée) : De quoi tu te mêles, toi ? Tu n'as pas autre chose à faire ? Genre séduire l'une de mes amies pour la dix-huitième fois ?

Félix est devenu livide. Il ne s'attendait pas à ce genre de sous-entendus de ma part.

Ma mère (en se joignant à mon père pour lire l'information à propos du voyage) : Arrêtez de vous disputer !
Moi (en m'efforçant de sourire) : Désolée, maman. Je ne voulais surtout pas déranger ta lecture.
Ma mère : C'est un beau projet, mais c'est vrai que c'est cher.
Moi : Je sais, mais si les activités de financement vont bon train, on devrait pouvoir accumuler assez de sous pour que les dépenses là-bas soient toutes payées ! Et comme je vous disais, je suis prête à travailler pour aider à financer une

partie du voyage. Je peux même rappeler le Roi du Beigne, s'il le faut !

Ma mère et mon père ont échangé un regard.

Mon père : Laisse-nous y réfléchir, Léa.

J'ai hésité, mais j'ai décidé de ne pas m'acharner davantage. Comme la bataille est loin d'être gagnée, je préfère garder mes meilleurs arguments pour le prochain affrontement.

Je suis montée dans ma chambre pour faire mes devoirs, et Félix est apparu quelques secondes plus tard.

Félix (en refermant la porte derrière lui et en chuchotant) : Pourquoi t'as dit ça, tantôt ?
Moi : Pourquoi tu chuchotes ? Les parents sont en bas et ont mieux à faire que de t'espionner.
Félix : Je sais, mais je ne veux pas qu'ils sachent...
Moi (en l'interrompant) : ... que tu as essayé d'oublier ta Laure en te lançant dans les bras de l'une de mes meilleures amies, qui est de surcroît ton ex que tu as trompée il y a moins de deux ans et qui a mis des mois à s'en remettre ?
Félix (en se laissant tomber sur mon lit) : Ouin. Je sais. Ce n'est pas fort.
Moi : J'irais même jusqu'à dire que c'est très con.
Félix : C'est Kath qui te l'a dit ?

Moi : Non. Je vous ai vus vendredi dans l'auto des parents.
Félix : À ma défense, ce n'était vraiment pas un baiser planifié.
Moi : Ça veut dire quoi, ça ?
Félix : Qu'on a bien rigolé chez Alex et qu'elle m'a aidé à voir les choses de façon plus positive, mais que ce n'était pas du tout louche entre nous !

J'ai repensé à la lettre que j'avais trouvée où Katherine disait à Jeanne qu'elle n'éprouvait plus rien pour Félix et qu'elle aimait Oli. Même si je ne comprenais pas ce qui les avait poussés l'un vers l'autre, je savais que mon frère ne mentait pas.

Moi : Ce n'est pas de mes affaires, Félix.
Félix : Je sais, mais je ne veux pas que tu t'imagines que je suis un monstre sans cœur.
Moi : Depuis quand te préoccupes-tu de l'image que j'ai de toi ?
Félix : Depuis que tu m'as aidé à me remettre de ma peine d'amour. Je ne pensais jamais dire ça, mais tu es l'une des seules personnes qui a su me remonter le moral pour vrai.
Moi (sarcastique) : Je pense que Katherine a bien fait sa *job,* elle aussi...

Félix a souri et m'a donné une petite bine amicale.

Félix : On ne peut rien te cacher !
Moi : Bon, si tu es pour coller dans ma chambre, aussi bien me raconter ce qui s'est passé.
Félix : OK. Après vous avoir déposées, j'ai reçu un texto de Laure.
Moi : Qu'est-ce qu'elle disait ?
Félix (en sortant son cellulaire de sa poche pour me citer son message) : « Je sais que j'ai été froide avec toi, mais c'est pour le mieux. Sache toutefois que je te kiffe et que tu me manques. »
Moi : « Kiffe » ? Ça mange quoi en hiver, ça ?
Félix : Ça veut dire qu'elle m'aime.
Moi (révoltée) : Ben là ! Elle est donc bien agace sentimentale, elle ! J'espère que tu ne lui as rien répondu ?
Félix : Ben, sur le coup, je ne savais pas trop quoi faire. J'ai réfléchi et j'ai commencé à composer une réponse. Et c'est là que Katherine a frappé à la vitre de la voiture. Elle était sortie prendre l'air pendant que Marilou parlait à JP et que Jeanne et toi étiez aux toilettes.
Moi : Donc votre rencontre dans le stationnement n'était qu'un hasard ?
Félix : Oui. Et c'est grâce à elle si je n'ai pas répondu à Laure.
Moi : Comment ça ?
Félix : Elle s'est installée sur le siège du passager et je lui ai résumé la situation. En gros, elle a réagi de la même façon que toi. Je lui ai dit que même si ma tête était d'accord

avec elle, mon cœur me dictait de répondre à Laure que je l'aimais aussi.

Moi : Ton cœur est con.

Félix : Ha ! C'est exactement ce qu'elle m'a répondu. Mais elle m'a quand même avoué qu'elle comprenait ce que je ressentais puisqu'elle vivait elle-même un amour impossible.

Moi : J'imagine que tu parles d'Olivier ?

Félix (en me regardant d'un drôle d'air) : Euh, ouais. Mais je croyais que tu ne le savais pas. Elle t'en a parlé ?

Moi : Non. Je l'ai juste... deviné.

Félix : Bref, on s'est mis à faire des blagues sur le fait qu'on était tous les deux pathétiques, et que tout serait beaucoup plus simple si on revenait ensemble.

Moi (en posant les mains sur mes hanches) : C'est la pire solution du monde !

Félix : Ouais, mais sur le coup, on voyait ça comme une bonne idée. On se trouve *cute*, on s'amuse ensemble, on se comprend, on se respecte...

Moi : Ouais, mais est-ce que vous vous aimez ?

Félix (en souriant d'un air triste) : Non. Et c'est en s'embrassant qu'on a réalisé tous les deux que c'était une erreur, et que, contre toute attente, nous étions vraiment devenus des amis.

Moi : Hum... J'avoue que je ne m'imaginais pas la scène comme ça.

Félix : Je sais. Et c'est pour ça que je tenais à te la raconter. Je ne veux pas que tu sois fâchée contre Katherine à cause de moi... ou même à cause d'Oli. Je pense qu'inconsciemment, elle aurait préféré que ça reclique avec moi plutôt que de devoir te parler de ton ex.
Moi : Ouin... Mais tu sais, tant qu'à s'essayer avec un autre gars, elle aurait pu en choisir un autre que mon frère.
Félix (en se frottant le torse avec ses jointures) : Ça, c'est parce que personne ne m'arrive à la cheville !
Moi (en lui lançant un coussin) : Je vois que tu as repris confiance en toi !
Félix : Ouais !
Moi : Sans blague, ça va mieux ? Tu n'as pas eu d'autre rechute à cause de Laure ?
Félix (en se levant) : Nah ! Si cette histoire d'amour m'a appris une chose, c'est que je suis très bien célibataire. Les relations de couple ne sont pas faites pour moi.

Son discours ressemblait étrangement à celui d'Alex.

Moi : Mais... tu ne crois pas que si un jour tu rencontrais la bonne personne, et je parle ici d'une fille qui ne vit pas à trois mille kilomètres de chez toi, ça pourrait te faire changer d'idée ?
Félix (en haussant les épaules) : Peut-être, mais je ne suis pas encore rendu là.

Félix est sorti et j'ai poussé un soupir. Il venait d'anéantir mon dernier espoir qu'Alex change d'idée et m'annonce qu'il voulait être avec moi. Tout comme mon frère, il a besoin de temps et de liberté. Le problème, c'est que l'attente me pèse, et que moi, je n'ai aucun doute par rapport à lui.

Bon, je te laisse ! Le souper va bientôt être prêt et je veux marquer des points en aidant mes parents à mettre la table. Je sais que ça ne paiera pas un voyage en France, mais petit train va loin !

Léa xox

Jeudi 5 novembre

21 h 41

Katherine (en ligne): Léa, t'es là?

21 h 41

Léa (en ligne): Salut! J'allais justement t'appeler.

21 h 42

Katherine (en ligne): Moi aussi. J'ai essayé de te parler aujourd'hui, mais on dirait que tu es invisible depuis le début de la semaine.

21 h 42

Léa (en ligne): Ouais. J'ai besoin de me cacher le temps de me remettre de mes émotions. Jeanne t'a raconté ce qui s'est passé entre Alex et moi, non?

21 h 42

Katherine (en ligne): Oui, et je le trouve tellement con!

21 h 43

Léa (en ligne): Bof, ce n'est pas de sa faute s'il ne veut pas de blonde en ce moment.

21 h 43

Katherine (en ligne): C'est de la *bullshit*! Tout le monde sait que vous êtes faits l'un pour l'autre, et il est vraiment niaiseux de laisser passer sa chance.

21 h 44

Léa (en ligne): Merci pour le soutien!

21 h 44

Katherine (en ligne): Et comment tu vis ça?

21 h 44

Léa (en ligne) : Mal. C'est d'ailleurs pour ça que je me terre comme une marmotte.

21 h 45

Katherine (en ligne) : Crois-moi, je comprends ce que tu vis.

21 h 45

Léa (en ligne) : Je sais. C'est d'ailleurs de ça que je voulais te parler...

21 h 46

Katherine (en ligne) : Avant tout, je veux m'excuser. Félix m'a écrit pour me dire que tu nous avais vus ensemble dans la voiture vendredi dernier. Je me sens tellement conne. Premièrement, je n'aurais jamais dû l'embrasser. Et deuxièmement, j'aurais dû t'en parler.

21 h 46

Léa (en ligne): Je t'avoue que sur le coup, ça m'a mise en colère. D'autant plus que c'est la deuxième fois que mon frère jette son dévolu sur l'une de mes amies en moins de six mois!

21 h 47

Katherine (en ligne): Ouais, mais je crois que Marilou a eu sa leçon! Moi, je suis tellement dinde que je suis retombée dans le panneau!

21 h 47

Léa (en ligne): À ta défense, c'est parfois plus simple et plus familier de chercher du réconfort auprès d'un ex.

21 h 47

Katherine (en ligne): Exactement.

21 h 47

Léa (en ligne): Et peut-être que vous aviez juste besoin de clore votre relation comme il faut! 😉

21 h 48

Katherine (en ligne): Wow! Je ne m'attendais pas à ce que tu réagisses comme ça.

21 h 48

Léa (en ligne): Il faut croire que mes déboires amoureux m'ont rendue plus sage et plus mature. 😉

21 h 48

Katherine (en ligne): Tu vois? Il y a du positif dans tout! 😉

21 h 49

Léa (en ligne): Sans blague, si Félix et toi aviez besoin de ce baiser pour réaliser que c'était bel et bien terminé entre vous, qui suis-je pour juger? Après tout, mon super *french* avec Alex lui a permis d'arriver à la même conclusion.

21 h 49

Katherine (en ligne): Pantoute! Alex t'a embrassée parce qu'il ressent quelque chose pour toi. Il est juste trop peureux pour affronter ses sentiments.

21 h 50

Léa (en ligne): Peut-être, mais le résultat est le même: j'aime un gars avec qui je ne peux pas être. Et je voulais te dire que tu n'as pas à vivre la même chose que moi.

21 h 50

Katherine (en ligne): Qu'est-ce que tu veux dire?

21 h 51

Léa (en ligne): Que tu devrais foncer et avouer à Olivier que tu l'aimes.

21 h 53

Léa (en ligne): Kath, es-tu là?

21 h 53

Katherine (en ligne): Oui. Je suis juste sous le choc. Depuis quand le sais-tu?

21 h 54

Léa (en ligne): La semaine dernière. Je suis tombée sur une lettre que tu as écrite à Jeanne...

21 h 54

Katherine (en ligne): Léa, je me sens tellement mal que j'ai le goût de disparaître dix pieds sous terre. Non seulement tu as appris par hasard que j'étais amoureuse de ton ex, mais en plus tu m'as surprise en train d'embrasser ton frère? Sérieux, je ne comprends pas même pas pourquoi tu me parles encore. Je ne mérite pas d'être ton amie.

21 h 55

Léa (en ligne): Ne sois pas si dure envers toi-même. Je sais bien qu'on ne choisit pas de qui on tombe amoureux. J'aurais juste aimé que tu m'en parles de vive voix...

21 h 55

Katherine (en ligne): Je sais. Jeanne n'arrêtait pas de me le répéter et je te jure que je voulais le faire, mais j'avais trop peur de te perdre. Tu sais que ce genre de situation m'a mise dans le trouble dans le passé, et je ne voulais pas que ça se répète.

21 h 56

Léa (en ligne): Ouais, mais il ne s'agit pas du tout de la même situation: premièrement, je ne suis pas Maude (alléluia!), et deuxièmement, tu n'as rien fait de mal.

21 h 56

Katherine (en ligne): Et *frencher* ton frère, c'est quoi?! Léa, je pense que je ne me suis jamais sentie aussi petite dans mes culottes. Je m'excuse sincèrement. Je sais que tu n'as pas besoin de ça en ce moment.

21 h 57

Léa (en ligne) : Kath, ce n'est pas parce que mon cœur s'est fait broyer par une moissonneuse-batteuse que tu ne peux pas être heureuse. Et même si j'aurais préféré que tu m'avoues toi-même tes sentiments pour Oli, je pense que j'aurais probablement fait la même chose si j'avais été à ta place. La preuve, c'est que je n'ai pas eu le courage de vous avouer ce que je ressentais pour Alex. Pire : ça fait des années que je n'ai même pas la force de me l'avouer à moi-même et que je choisis de me lancer dans des relations qui ne mènent à rien, de me poser des questions existentielles et de faire semblant que ça ne m'atteint pas quand il sort avec d'autres filles !

21 h 58

Katherine (en ligne) : Argh. Pourquoi l'amour est-il si compliqué ?

21 h 58

Léa (en ligne): Dans mon cas, c'est parce que je suis trop nouille pour voir la réalité en face, mais on ne vit pas la même chose. C'est moi qui ai cassé avec Oli. Et pour tout dire, je réalise maintenant que même si je me sentais bien quand on était ensemble, je n'ai jamais vraiment été amoureuse de lui. Tout ce que je souhaite, c'est qu'il soit heureux et qu'on puisse être amis. Et je suis certaine que s'il sortait avec une fille comme toi, je pourrais atteindre mes deux objectifs! 🙂

21 h 59

Katherine (en ligne): T'es sûre? Parce que je ne veux pas risquer notre amitié pour un gars. Je refuse de retomber là-dedans.

21 h 59

Léa (en ligne): Je suis certaine. Et je te promets que ça ne changera rien entre nous. Tout ce que je veux, c'est qu'on apprenne à se dire les vraies choses!

22 h 00

Katherine (en ligne) : Je te promets de ne plus jamais rien te cacher !

22 h 00

Léa (en ligne) : Moi aussi !

22 h 00

Katherine (en ligne) : Est-ce que ça veut dire que je peux te dire quelque chose que tu n'aimeras peut-être pas entendre ?

22 h 01

Léa (en ligne) : Ton vrai nom est Katherine Ménard-Bérubé et tu es la demi-sœur de Maude ?

22 h 01

Katherine (en ligne) : Pitié, non ! En fait, je me disais que tu devrais peut-être dire la vérité à Alex. Dis-lui que votre super entente ne fait pas ton affaire et que tu veux plus. Au fond, qu'est-ce que tu risques ?

22 h 02

Léa (en ligne): De perdre le peu de dignité qu'il me reste? Sans blague, je n'en ai pas la force. Alex a été clair: il ne veut pas de blonde et ne veut pas s'engager avec moi parce qu'il tient trop à notre amitié.

22 h 02

Katherine (en ligne): Justement. Tu ne crois pas que votre super amitié est déjà un peu amochée?

22 h 02

Léa (en ligne): Je dirais même qu'elle est pas mal maganée! Mais je n'ai pas envie de me faire rejeter une deuxième fois.

22 h 02

Katherine (en ligne): Je te comprends.

22 h 03

Léa (en ligne): Et qui sait? Peut-être qu'une fois que je me serai remise du choc, on pourra être amis comme avant.

22 h 03

Katherine (en ligne): En tout cas, moi, je n'ai plus été capable de rester moi-même avec Oli après avoir réalisé que je l'aimais.

22 h 03

Léa (en ligne): C'est pour ça que tu dois lui avouer au plus vite!

22 h 04

Katherine (en ligne): Et s'il me répond qu'il ne s'est pas encore remis de sa rupture avec toi et qu'il a besoin de temps?

22 h 04

Léa (en ligne): Alors tu attendras qu'il soit prêt. 🙂 Bon, je te laisse! J'essaie de faire un plan détaillé pour convaincre mes parents de me laisser participer au voyage en France et pour leur prouver que je peux aussi y contribuer. (Mais comme je n'ai que 72$ dans mon compte en banque, ça part plutôt mal!)

22 h 05

Katherine (en ligne) : Ouin, mes parents m'ont déjà dit qu'on n'avait pas les moyens cette année... Bonne chance !

22 h 06

Léa (en ligne) : Oh, non ! Moi qui espérais pouvoir y aller avec Jeanne et toi ! C'est tellement poche ! Mais merci quand même pour le soutien. Je vais en avoir besoin !

22 h 06

Katherine (en ligne) : Merci à toi, Léa. Tu es vraiment une bonne amie. Et une personne extraordinaire. Ne laisse jamais un gars te faire douter de ça.

22 h 07

Léa (en ligne) : T'es gentille ! 🙂 Bonne nuit !

22 h 07

Katherine (en ligne) : Bonne nuit ! *Luv !* xox

À : Léa_jaime@mail.com
De : Marilou33@mail.com
Date : Dimanche 8 novembre, 14 h 44
Objet : Le retour des lapins

Coucou !
Premièrement, comme je te l'ai déjà dit vendredi, je suis extrêmement fière de toi. Tu as super bien géré toute l'histoire de Katherine et Félix. (Sérieux, est-ce que je peux me permettre de répéter qu'il a réellement le don de se mettre les pieds dans les plats avec tes amies !)

Deuxièmement, je me dois de faire une petite intervention avec toi comme celle que tu as faite pour moi l'été dernier. Léa, la Terre n'arrête pas de tourner parce qu'Alex est trop niaiseux pour réaliser que tu es la femme parfaite pour lui. Je sais que ça fait mal et je te connais assez pour savoir à quel point tu souffres, mais c'est notre dernière année de secondaire, et j'exige que tu en profites au maximum !

J'espère d'ailleurs que tu as réussi à convaincre tes parents d'aller à Paris. S'ils voient que tu es même prête à retravailler au Roi du Beigne pour participer au voyage, j'ai confiance qu'ils te donneront le feu vert !

Pour le reste, sors immédiatement du local du journal! Si quelqu'un a à s'y terrer, c'est Alex! Après tout, c'est lui qui est assez moron pour laisser filer une fille comme toi!

De mon côté, les choses vont toujours aussi bien entre JP et moi. En fait, on flotte tellement sur un nuage qu'il en a conclu que le moment était bien choisi pour avoir une discussion sérieuse à propos de notre avenir. Et je t'avoue que ça m'a fait un peu capoter. Hier soir, on était couchés sur mon lit (en écoutant sagement de la musique), quand il m'a regardée d'un drôle d'air.

Moi: Pourquoi tu me dévisages comme ça? Je n'ai pas un morceau de fromage en crotte coincé entre les dents, j'espère?
JP: Non! Juste un grain de poivre!
Moi (en me cachant pour l'enlever): Merde! Je pensais que de ne plus avoir de broches allait m'éviter ces moments de honte!
JP (en haussant les épaules): T'es *cute* même avec de la bouffe entre les dents. Mais ce n'est pas à cause de ton grain de poivre que je te regardais comme ça.
Moi: Ah non?
JP: Non. J'essayais de m'imaginer comment serait notre vie dans quelques années.
Moi: Hum... Qu'est-ce que tu veux dire?

JP : Ben, tu finis le secondaire cette année, et j'imagine que tu iras au même cégep que moi. Mais je me disais qu'une fois qu'on partirait d'ici, on pourrait se prendre un appart ensemble ?

J'étais sans mot. J'avoue que sa question me prenait de court. Comme je te l'ai expliqué quand je suis venue à Montréal, les mois passés loin de JP m'ont permis de me concentrer un peu plus sur mon propre avenir, sur le fait que je ne m'imagine pas faire mon collégial ici. Je repousse le moment d'en parler depuis qu'on a repris, mais sa question m'a forcée à lui faire face .

JP (en claquant des doigts) : Lou ? Tu m'écoutes ?
Moi : Oui, oui. Mais je ne sais pas trop quoi répondre.
JP : Je comprends si tu me trouves trop intense avec mes projets. Et c'est correct si tu veux habiter chez tes parents le plus longtemps possible !
Moi (en souriant) : Non, ce n'est pas ça. C'est clair que si on se retrouve dans la même ville, ça va sûrement me tenter de vivre avec toi.
JP : OK. Alors pourquoi tu fais cette face-là ?

J'ai pris une profonde inspiration.

Moi : Parce que je ne suis pas certaine que je veux aller au même cégep que toi. Je sais que c'est pratique parce que c'est tout près, mais je t'avoue que je commence de plus en plus à m'imaginer en ville.

JP (en se redressant, l'air nerveux) : En ville, genre à Montréal avec Léa ?

Moi : Non. Je me verrais plus à Québec. C'est moins gros et c'est plus proche d'ici.

JP s'est mordu la lèvre et il a détourné le regard.

JP : C'est quand même à une heure et demie de route.

Moi (en prenant sa main et en le forçant à me regarder dans les yeux) : Je sais, mais il ne faut pas capoter tout de suite. Je vais faire des demandes un peu partout, et on décidera en temps et lieu.

JP : Et si tu décides de partir ?

Moi : Ce n'est pas le Bangladesh, chéri. Si jamais je vais étudier à Québec, on s'arrangera pour se voir les fins de semaine.

JP : Et t'habiterais où ?

Moi (en haussant les épaules) : En résidence.

JP : OK.

Moi (en essayant de lui remonter le moral) : Eille ! On serait seulement séparés pendant quelques mois. Dès que tu auras fini le cégep, tu pourras prendre tes cliques et tes claques et venir me rejoindre !

À mon grand soulagement, ma réponse a semblé le satisfaire.

JP : Est-ce que ça veut dire que tu nous vois ensemble à long terme ?
Moi : Penses-tu que je me serais battue pendant des mois pour te ravoir si ce n'était pas le cas ?
JP (en baissant les yeux) : Ouais. Tu as raison.
Moi (d'un air sérieux) : JP, ne fais pas cette face-là. Si jamais mon choix s'arrête sur un cégep en ville, ça n'est pas parce que je tiens moins à toi. C'est juste un truc que je veux faire pour moi. Mais ça ne change rien à notre relation.
JP (en m'embrassant) : Ça me rassure.

Notre baiser s'est intensifié, mais un cri strident est venu interrompre notre moment de passion.

Zak (entrant dans la maison et courant un peu partout) : JP ? T'es où ? Viens ! Il faut que je te montre le nouveau jeu vidéo que maman vient de m'acheter !

JP s'est relevé d'un bond et s'est installé sur la chaise de mon bureau en lissant son linge. Quant à moi, je me suis redressée sur mon lit et je me suis recoiffée avant que mon petit frère ne fasse irruption dans ma chambre.

JP (en me faisant de gros yeux et en chuchotant) : Je pensais que tu m'avais dit que ta mère et lui étaient partis pour la journée !
Moi (en chuchotant à mon tour) : C'est ce qui était prévu !

Ma mère est alors apparue dans l'embrasure de la porte et nous a regardés d'un drôle d'air.

Ma mère (en plissant les yeux) : Je ne vous dérange pas, j'espère ?
Moi (du tac au tac) : Non. On parlait du cégep.
JP (en se levant) : Sur ce, je vais aller voir Zak.

Il est sorti de la chambre et ma mère est venue s'asseoir à côté de moi.

Moi (en m'efforçant d'avoir un air nonchalant) : Vous n'étiez pas censés aller à la patinoire ?
Ma mère : As-tu regardé dehors ?
Moi : Non.
Ma mère : Il pleut. La glace est en train de fondre.
Moi : Ah, c'est plate. Bon, ben, je vais aller rejoindre les gars.
Ma mère : Attends un peu. J'aimerais qu'on discute.

J'ai soupiré. Je savais déjà où elle voulait en venir.

Moi : Qu'est-ce qui se passe ?
Ma mère : Je ne sais pas si je suis super à l'aise avec l'idée que JP et toi soyez seuls dans ta chambre quand je ne suis pas ici.
Moi : Ben là ! Je vais bientôt avoir dix-sept ans et JP en a dix-huit. Nous ne sommes plus des bébés, maman !
Ma mère (en me lançant un sourire rempli de sous-entendus) : C'est bien ça qui me fait peur ! Je pense qu'il faut qu'on se parle, Marilou.
Moi : Ah, non ! Maman, pitié ! Ne fais pas ça !
Ma mère : C'est mon travail, ma chouette.
Moi (en baissant la voix pour être sûre que JP ne nous entende pas) : Oui, mais tu m'as déjà dit tout ce que j'avais besoin de savoir il y a quatre ans. Sans compter que papa m'a ensuite fait un bel exposé à propos des lapins qui se font des câlins !
Ma mère (en riant) : C'est vrai ! J'avais presque oublié.
Moi (en voulant la rassurer) : Ben, pas moi !

Ma mère m'a regardée longuement avant de poursuivre.

Ma mère : Mais tu sais que pour... aller plus loin, c'est important que tu te sentes prête ?
Moi : Oui, maman.
Ma mère : Et que si ce n'était que de moi, je préférerais que tu attendes jusqu'à l'université ?

J'ai souri.

Moi : Demande-moi donc d'attendre jusqu'au mariage, un coup parti !
Ma mère : Je ne rigole pas, Lou. Ce n'est pas un truc que tu dois prendre à la légère. C'est un moment dont tu te souviendras toute ta vie, et c'est essentiel que tu te sentes en confiance et proche de l'autre.
Moi (en baissant les yeux) : Je sais.

Ma mère a soupiré.

Ma mère : Je ne veux pas que tu penses que je suis « contre toi », ma chouette. La preuve, c'est que si tu décidais de... franchir cette étape avec Jean-Philippe, je préférerais que ce soit ici plutôt que dans un endroit où tu ne te sens pas à l'aise.
Moi : OK...
Ma mère : Mais tu dois aussi penser à ton petit frère. Il est pas mal plus jeune que toi, Marilou. Il y a des tonnes de choses qu'il ne comprend pas encore.

J'ai lancé un regard de travers vers la porte de ma chambre. Pour une fois, j'aurais voulu que Zak se rende utile et vienne à ma rescousse.

Moi : Maman, je te répète que tu n'as aucun souci à te faire.

Ma mère : Ça veut dire quoi, ça ?
Moi (en rougissant) : Que je... je ne suis pas rendue tout à fait là.

Ma mère a semblé soulagée.

Ma mère : Quoi qu'il arrive, n'oublie pas que c'est primordial de t'écouter, et de te sentir respectée et aimée.
Moi (en souriant d'un air gêné) : Je sais.

Ma mère s'est mise à jouer nerveusement avec sa bague.

Ma mère : Mais si jamais l'occasion se présente... est-ce que tu peux me promettre que tu seras prudente ?

Je sentais la sueur perler sur mon front.

Moi (en espérant que mes réponses claires et concises mettent fin rapidement à la discussion) : Oui, maman.
Ma mère : Et que tu... vous... vous protégerez ?

Au. Secours.

Moi : Maman !
Ma mère (en mettant les mains sur ses hanches) : Je suis sérieuse, Marilou. Je veux être capable de te faire confiance.

Ne va pas croire ce que ce genre d'histoires n'arrive qu'aux autres !

J'ai pris une profonde inspiration.

Moi : Je te le promets, maman.

Ma mère m'a souri et s'est levée. Elle s'apprêtait à sortir de ma chambre quand elle s'est tournée vers moi.

Ma mère : Même si ça me fait un peu paniquer de réaliser que tu es devenue une jeune femme, je tiens à te dire que je suis extrêmement fière de toi. Et que quoi qu'il arrive, ma porte est toujours ouverte.

J'ai marché vers elle et je l'ai serrée dans mes bras. Même si la séparation de mes parents n'a pas été facile à vivre, je réalise qu'elle m'a au moins permis de me rapprocher de ma mère.

Je pense que tu sais que j'ai toujours un peu envié la relation que tu entretiens avec la tienne, et je suis contente de voir que je ne me trouve plus à des millions d'années-lumière de là.

Ma mère (en me prenant par les épaules) : Je pensais commander de la pizza. Est-ce que ton chum reste à souper avec nous ?
Moi : Seulement s'il ne nous impose pas ses piments jalapeños. Ça gâche complètement le goût du fromage !

Après le souper, JP et moi avons joué au Monopoly avec ma mère et Zak, et ce n'est qu'après son départ que les paroles de ma mère me sont revenues à l'esprit.

La vérité, Léa, c'est que même si ça me rend nerveuse, je commence à me sentir prête à vivre ça avec JP.

J'espère que ça ne te dérange pas que je te confie tout ça. Je sais que tu traverses un moment difficile et je ne veux surtout pas t'énerver avec mes questions existentielles d'amoureuse comblée, mais tu es la seule personne avec qui j'ose en parler.

Sur ce, je retourne à mes équations. J'ai un examen demain matin et je ne comprends que 25 % de la matière !

Je t'aime et tu me manques déjà !

Lou xox

10-11 16 h 41

Rongeur, est-ce qu'on peut se parler?

10-11 16 h 41

Je suis à l'épicerie avec Félix... 

10-11 16 h 42

OK. Je peux t'appeler vers 18 heures?

10-11 16 h 42

Impossible; mes parents veulent qu'on s'assoie pour discuter de ton idée de voyage en France, et je veux leur présenter mon nouveau plan pour les convaincre!

10-11 16 h 43

J'espère que tu vas venir. La France ne serait pas pareille sans mon Poil de maïs.

10-11 16 h 44

Je vais faire mon possible!

10-11 16 h 44

Et demain, est-ce qu'on peut dîner ensemble?

10-11 16 h 45

J'ai une réunion avec Bianca à propos du défilé…

10-11 16 h 46

Jeudi, alors?

10-11 16 h 46

Je dois d'abord parler à Éloi. Est-ce que je peux te confirmer ça demain?

10-11 16 h 46

Tu l'as engagé comme assistant pour gérer ton horaire de premier ministre?

10-11 16 h 47

Ha! Ha! Non, je veux juste m'assurer qu'il n'a pas besoin de moi au journal.

10-11 16 h 47

OK! Texte-moi plus tard pour me dire comment s'est déroulée ta rencontre au sommet avec tes parents.

10-11 16 h 48

OK !

10-11 16 h 48

Et si jamais tu as besoin de moi pour les convaincre, fais-moi signe !

10-11 16 h 50

Promis ! À plus ! xx

10-11 16 h 49

À plus, Rongeur ! xx

Chapitre 2 : Léopard potelé et Bambi esseulé

À : Marilou33@mail.com
De : Léa_jaime@mail.com
Date : Jeudi 12 novembre, 21 h 44
Objet : Trop de choses à te raconter !

Salut, Lou !
Premièrement : *OMG* ! Je suis sous le choc ! Je ne savais pas que JP et toi en étiez là ! D'un autre côté, c'est un peu normal puisque ça fait super longtemps que vous êtes ensemble et que vous vous aimez. Évidemment, je suis contente que tu te confies à moi et que tu me racontes ce que tu vis (ou de ce que tu vivras... Tousse ! Tousse !). Même si je suis une célibataire en peine d'amour qui se trouve à des millions de kilomètres de toi, je suis toujours là pour t'écouter. Comme je ne suis pas une experte dans le domaine, je ne serai peut-être pas la mieux placée pour te donner des conseils, mais je ferai de mon mieux pour t'aider à y voir plus clair. D'ailleurs, je pense que c'est normal que tu ressentes de la nervosité, mais essaie d'écouter ton cœur et de te fier à ton jugement, et je suis sûre que tout ira bien.

Pour ce qui est de Paris, j'ai réalisé que si je voulais prouver mon sérieux à mes parents, il fallait que je prenne les grands moyens. C'est pourquoi j'ai décidé avant-hier de passer un coup de fil à Alphonse, mon ancien patron du Roi du Beigne, pour voir s'il pouvait me réembaucher à temps partiel.

Alphonse : Allô ?
Moi : Oui, bonjour. Est-ce que je peux parler à Alphonse ?
Alphonse : C'est moé !
Moi : Bonjour, c'est Léa Olivier qui parle.
Alphonse : Qui cé que cé ça ?
Moi : Euh. Je travaillais pour vous l'été dernier...
Alphonse : Ah ! La p'tite Léâ ! Eh ben ! Quécé j'peux faire pour toé ?
Moi : Je sais que ce n'est peut-être pas la période la plus occupée au restaurant, mais je me cherche un emploi à temps partiel, et comme vous m'aviez dit de vous faire signe si jamais mes plans changeaient... eh bien, me voilà !
Alphonse : Ah ben tu tombes ben, toué ! J'en ai une qui a décidé d'aller vendre des *donuts* dans l'Ouest, pis là j'm'artrouve ben mal !

Je n'avais pas compris grand-chose à son explication, mis à part qu'il avait peut-être une place pour moi.

Moi : Cool ! Quel genre d'horaire pouvez-vous m'offrir ?
Alphonse : Du *full*. Faudrâ que tu rentres demain à 6 heures.
Moi : Euh, 6 heures du soir ?

Alphonse a ponctué sa réaction d'un rire gras.

Alphonse : Ben non, la p'tite ! Moé j'ai besoin de toé aux aurores pour glacer les *donuts*.

Moi : Mais j'ai l'école.
Alphonse : Ben si t'es icitte à 5 heures, tu peux faire des p'tits shifts pis partir à 8 heures.

J'ai réfléchi quelques instants. Ce genre d'horaire nécessiterait un réveil à 4 heures du matin. Comme je suis une fille qui a besoin d'une bonne nuit de sommeil pour fonctionner, il faudrait donc me mettre au lit vers 20 heures. Comme je rentre généralement de l'école vers 16 heures, ça ne me donnerait que quatre heures pour souper, prendre ma douche, faire mes devoirs et avoir du temps libre. Et comme je n'ai aucune vie sociale en ce moment, je ne voyais pas d'inconvénient à éliminer la dernière catégorie pour mettre mon plan à exécution.

J'ai dit à Alphonse que je le rappellerais après avoir consulté mes parents, puis je suis descendue à la cuisine d'un pas confiant.

Ma mère (en pointant la feuille que je venais de déposer sur le comptoir) : C'est quoi, ça ?
Moi (en prenant un air très sérieux) : C'est mon plan d'action.
Mon père (en souriant et en s'assoyant devant moi) : Wow ! Impressionnant !

Moi (en adoptant un air très professionnel) : J'ai réfléchi, et je crois que la meilleure solution est de retourner au Roi du Beigne.
Ma mère : Je croyais que tu m'avais dit que ç'avait été l'une des pires expériences de ta vie !
Moi (en riant) : Maman, tu sais bien que j'exagère tout le temps !
Mon père : Léa, tu avais envie de pleurer chaque fois que tu enfilais l'uniforme !
Moi : C'est vrai que les rayures ne sont pas super avantageuses, mais je me suis habituée à ressembler à un hippopotame difforme ! Et c'est sans compter tous les beignes que je pouvais rapporter gratuitement à la maison !
Ma mère : Je ne crois pas que ce soit possible, Léa.
Moi (en brandissant ma feuille et en écarquillant les yeux) : Écoute-moi avant de dire non ! J'ai fait tous les calculs, et si je travaille quinze heures par semaine, je devrais accumuler environ 400 $ par mois en tenant compte des retenues à la source.

Mes parents m'ont dévisagée comme si j'étais une extraterrestre. Ils n'avaient pas l'habitude de m'entendre utiliser des termes budgétaires aussi recherchés.

Moi (en poursuivant mon discours) : Si je travaille pendant cinq ou six mois, cela me permettrait donc d'accumuler près de 2000 $, ce qui réduirait énormément votre contribution.

Ma mère m'a souri tout en secouant la tête.

Ma mère : Léa, tes études comptent beaucoup plus que le glaçage à l'érable du Roi du Beigne !
Moi (en pointant mes feuilles du doigt) : Oui, mais si je travaille le matin avant de me rendre à l'école, je pourrai consacrer mes soirées aux devoirs. Et comme je dois être au lit à 20 heures, je n'aurai même plus le temps de procrastiner !

Mes parents ont échangé un regard inquiet.

Ma mère : Ma chérie, qu'est-ce qui se passe ?
Moi (en brandissant mes calculs dans les airs) : Rien ! Je veux juste vous prouver que tout est possible !
Ma mère : Pas si ça suppose d'être malheureuse !
Moi : Ce qui ferait vraiment mon bonheur, c'est de participer au voyage et d'obtenir mon diplôme au plus vite pour en finir avec cette école.

Ma mère a fait un signe à mon père, qui m'a tapoté tendrement l'épaule avant de monter à l'étage.

Moi : Qu'est-ce qu'il fait ?
Ma mère : Il nous laisse seules.
Moi : Pourquoi ?

Ma mère : Parce que je veux que tu puisses être honnête avec moi sans avoir peur de le traumatiser.
Moi : Je ne comprends pas...
Ma mère : Qui te met dans cet état-là, Léa ?
Moi : Personne ! Je veux juste aller à Paris !

Ma mère s'est installée près de moi.

Ma mère : Je te connais, ma chérie, et depuis quelques jours, tu es méconnaissable. Tu passes des heures dans ta chambre, tu fonctionnes comme si tu étais un robot et voilà maintenant que tu nous proposes de couper toutes tes activités sociales pour glacer des beignes dans un endroit que tu détestes ! Tu sais que tu peux me faire confiance, Léa. Qu'est-ce qui ne va pas ?

J'ai soupiré et j'ai levé les yeux vers ma mère. J'y ai vu un mélange d'inquiétude, de tristesse et de compassion, ce qui m'a aussitôt fait craquer.

Moi (en essuyant une larme) : Tu me connais trop bien !

Ma mère a souri et m'a serrée contre elle. J'ai aussitôt éclaté en sanglots.

Après avoir morvé pendant plusieurs minutes sur son chandail, je me suis redressée et j'ai poussé un long soupir.

Ma mère : Ça va mieux ?
Moi (d'une petite voix) : Un peu.
Ma mère : Veux-tu m'en parler ?
Moi (en haussant les épaules) : Il n'y a pas grand-chose à dire.
Ma mère : C'est Oli ? Tu regrettes d'avoir cassé ?
Moi : Non. C'est Alex.

Ma mère m'a observée pendant plusieurs secondes avant de poursuivre.

Ma mère : Vous vous êtes disputés ?
Moi : Pas vraiment. C'est plus compliqué que ça.
Ma mère : Tu as enfin réalisé que tu l'aimais plus qu'en ami, c'est ça ?

Je l'ai regardée d'un air surpris.

Moi : Comment t'as fait pour deviner ?
Ma mère : Je l'ai senti.
Moi : Ben là ! Tu aurais pu me le dire avant !

Ma mère a éclaté de rire.

Ma mère : Je pense que c'est le genre de chose que tu devais réaliser par toi-même.

Moi : Ouais, ben c'est fait. Et pendant un moment, j'ai même cru que c'était réciproque.
Ma mère : À voir la façon dont Alex te regarde, je serais portée à croire la même chose.
Moi : Tu te trompes.
Ma mère : Pourquoi tu dis ça ?
Moi : Après m'avoir embrassée, il m'a dit qu'il préférait qu'on soit amis.
Ma mère : Est-ce qu'il t'a donné une explication ?
Moi (en haussant les épaules) : Il paraît qu'il est nul en matière de relation, et qu'il ne voudrait surtout pas prendre de risque avec moi. Blablabla.
Ma mère : C'est vrai que vous êtes très proches.
Moi : Étiez très proches.
Ma mère : Es-tu fâchée contre lui ?
Moi : Je suis mal placée pour lui en vouloir étant donné que je lui ai fait croire que j'étais du même avis.
Ma mère : Ça ne répond pas à ma question, ça.
Moi : Honnêtement, oui. Ça me gosse de le voir agir comme si rien ne s'était passé. Et ça m'énerve encore plus de sentir que je ne suis pas assez importante pour qu'il sorte avec moi.
Ma mère : Je crois comprendre que c'est plutôt le contraire.
Moi (d'une voix triste) : Le résultat est le même.
Ma mère : Léa, c'est correct d'avoir de la peine et d'être déçue, mais ta vie ne s'arrête pas parce qu'Alex préfère rester célibataire !

Moi : Je sais, mais on dirait que je n'arrive plus à fonctionner quand il est dans mon champ de vision !
Ma mère : Alors, évite-le pendant un certain temps.

J'ai acquiescé d'un air triste.

Ma mère (en me caressant les cheveux) : Je sais que ce n'est pas facile, mais tu vas t'en remettre, ma puce. Tu es une fonceuse !
Moi : Est-ce que ça veut dire que je peux lui foncer dedans ? Il me semble que ça me défoulerait !

Ma mère a ri.

Ma mère : Ce que tu dois réaliser, c'est que c'est lui qui rate une chance en or en choisissant de rester seul. Tu n'as rien à te reprocher, et tu n'as surtout pas à te cacher dans un resto de beignes et gâcher ta dernière année de secondaire simplement pour éviter de tomber sur lui.
Moi : Je sais que tu as raison, mais on dirait que tout a changé. Alex était mon meilleur ami.
Ma mère : Je comprends, mais dis-toi que Marilou, Jeanne, Katherine et Éloi sont encore là. Ça, c'est sans compter que tu fais partie de trois comités et que tu dois te lancer dans une campagne de financement pour ton voyage en France. Tu es loin d'être seule et de te tourner les pouces !

Je l'ai regardée en écarquillant les yeux.

Moi (en retenant mon souffle) : Pourquoi tu parles de la campagne de financement ? Es-tu en train de me dire que vous acceptez que je fasse partie du voyage ? Et que je pourrai visiter Paris avec Jeanne ?
Ma mère (en me souriant) : Ton père et moi avons réfléchi, et nous trouvons effectivement qu'il s'agit d'une belle occasion. Mais nous avons trois conditions.
Moi (en tapant des mains pour exprimer ma joie) : Je t'écoute !
Ma mère : Premièrement, tu rappelles ton Alphonse Machin-Chose et tu lui dis que tu ne travailleras pas pour lui. Même si nous tenons à ce que tu contribues au voyage, il est hors de question que tu le fasses au détriment de ton bonheur, de ta santé et de tes résultats scolaires.
Moi : OK, mais comment je vais faire pour amasser des sous ?
Ma mère : J'ai justement quelque chose à te proposer.
Moi (méfiante) : J'espère que tu ne veux pas que je nettoie la chambre de Félix, parce que ça va te coûter cher !
Ma mère : Pas du tout. J'aimerais simplement que tu donnes un coup de main en français à quelqu'un qui en a besoin.
Moi : Qui, ça ?
Ma mère : Te souviens-tu de Réal et Guylaine, le couple que nous avons rencontré à Cuba ?

Moi (en souriant) : Comment oublier les Câlinours et leur intensité légendaire ? Mais ce dont je me souviens surtout, c'est de leur fille Mégane qui s'acharnait pour passer du temps avec moi !

Ma mère m'a regardée en se mordant la lèvre.

Moi : Ah, non ! Pas Mégane ?
Ma mère (d'une petite voix) : Oui.
Moi : Mais... pourquoi ? Je pensais que les Câlinours avaient disparu de nos vies à jamais !
Ma mère : Moi aussi. Mais Réal et Guylaine nous ont retrouvés sur Facebook il y a quelques mois.
Moi : C'est pour ça que les parents ne devraient *jamais* s'inscrire sur les réseaux sociaux !

Ma mère m'a fait une grimace avant de poursuivre.

Ma mère : Bref, il y a deux semaines, Guylaine m'a écrit que sa fille frôlait l'échec en français et que ça l'inquiétait beaucoup. Elle m'a demandé si je connaissais quelqu'un qui pouvait lui donner des cours particuliers, et quand tu m'as parlé de Paris, j'ai eu un déclic.
Moi (en la suppliant du regard) : Maman, tout sauf ça !
Ma mère : Tu vas me faire croire que tu préfères glacer des beignes à 5 heures du matin tous les jours pour un salaire

équivalent à aider Mégane à comprendre les règles de base du français pendant quelques heures le samedi ?
Moi : Presque.

Ma mère m'a fait de gros yeux.

Ma mère : Tu exagères, Léa. D'ailleurs, tu nous as même dit qu'à la fin du voyage, tu commençais à la trouver attachante et que tu la percevais un peu comme ta petite sœur.
Moi : Ça, c'est parce que je pensais ne jamais la revoir !
Ma mère (d'un ton ferme) : Si tu veux aller à Paris, tu dois aider Mégane. Un point, c'est tout.

Même si l'idée de passer chaque samedi avec ma groupie ne m'enchantait guère, il était hors de question que je refuse son offre.

Moi : OK. J'accepte.
Ma mère (en souriant) : Parfait ! Je vais écrire à Guylaine et je te reviens avec les détails.

J'ai souri et j'ai regagné ma chambre pour appeler Alphonse et décliner son offre.

Moi (en raccrochant) : Adieu, beignes gratuits.
Félix (en entrant dans ma chambre) : Tu es tellement chouchou.

Moi : Explications, s'il te plaît ?
Félix : Les parents te paient un voyage en France !
Moi : Tu es mal placé pour parler ; je sais très bien qu'ils ont financé une partie de ton escapade en Europe !
Félix : Ouais, mais j'ai quand même dû travailler à la sueur de mon front pour être capable de partir.
Moi : Et passer mes samedis avec Mégane, tu appelles ça comment ?
Félix (en se mordant l'intérieur de la joue) : Est-ce qu'on parle ici de ta *best* de Cuba ?
Moi (en soupirant) : Oui. Apparemment elle est poche en français et je dois l'aider à passer son année.
Félix (en éclatant de rire) : Merci, Léa ! Ça fait ma journée !
Moi (en le poussant hors de ma chambre) : Tu m'énerves !

Pour ce qui est de l'école, tu seras heureuse d'apprendre que je réintègre peu à peu les lieux publics. Hier, j'ai même mangé avec Jeanne, Katherine et Éloi avant ma rencontre pour le défilé.

Jeanne (en souriant) : Je suis contente de te retrouver ! Tu as un meilleur teint, aujourd'hui.
Moi (en engloutissant une frite) : C'est l'effet de la poutine !
Katherine : Et de notre réconciliation.
Moi (en me tournant vers elle) : Parlant de ça, quand vas-tu te décider à parler à Oli ?

Katherine (en jetant un regard nerveux autour d'elle) : Chut ! Il pourrait nous entendre !
Jeanne (en riant) : Allo, la paranoïa !

Alex est venu nous interrompre.

Alex (en s'assoyant avec nous et en me regardant d'un air suspicieux) : Salut, Rongeur ! Je ne m'attendais pas à te voir ici. Tu n'avais pas une rencontre ?
Moi (en me levant pour contenir ma nervosité) : Ouais. Je dois aller essayer le superbe une-pièce que je dois enfiler devant toute l'école. Tout ça parce que mon cher éditeur insiste pour que je raconte mon expérience humiliante dans le journal.

J'ai dit ça en lançant un regard de travers à Éloi. Ce dernier s'est contenté de me faire une grimace.

Alex : Et est-ce que ton éditeur t'a donné la permission de dîner avec moi demain ?

Éloi m'a regardée avec des yeux de poisson rouge.

Moi (en espérant qu'il saisisse mon appel à l'aide) : J'ai dit à Alex qu'on avait beaucoup de travail ces temps-ci et que je ne pourrais peut-être pas me libérer.

Éloi : Hein ?

Jeanne a tenté de le faire allumer en lui assénant un coup de coude dans les côtes.

Éloi : Ayoye ! Pourquoi tu me frappes comme ça ?
Jeanne (en me regardant d'un air découragé) : Pour rien. J'avais de la rage emmagasinée en moi.
Moi : Bon, il faut que je file. Alex, on s'en reparle plus tard, OK ?

Je suis partie sans même lui donner le temps de répondre et j'ai couru jusqu'au local où devait se tenir ma réunion. Bianca était déjà installée à une table et prenait des notes.

Bianca (en levant les yeux vers moi et en me grondant du regard comme si j'avais deux ans) : Salut, madame la retardataire !
Moi (en consultant l'horloge au mur) : Euh, de deux minutes ?
Bianca (en me souriant) : Los Angeles m'a appris que chaque seconde compte dans cette industrie.

Elle ne se prend pas pour des peanuts, *notre Bibi nationale !*

Moi : Alors, ne perdons pas une minute de plus.

Bianca (en me tendant une boîte d'un air excité) : J'ai tellement hâte que tu l'essaies !

J'ai soulevé le couvercle et j'ai eu le souffle coupé. Le maillot était encore plus hideux en personne que sur photo.

Moi : Oh. Mon. Dieu.
Bianca : Il est superbe, non ?
Moi (en le brandissant devant moi) : Tu me niaises, là ?
Bianca : Du tout ! D'ailleurs, si je n'étais pas si grande, je serais la première à le porter.

Je l'ai regardée dans les yeux. Elle n'avait même pas l'air de niaiser.

Bianca : J'ai remarqué que la jupette s'enlevait, alors c'est à toi de décider quel style tu préfères adopter !
Moi (en tâtant le morceau de tissu) : Je ne sais pas ce qui est pire : avoir l'air d'une enfant ou exhiber mon gras de fesse ?
Bianca (sans comprendre mon ironie) : Je pense que tu aurais l'air plus féminine sans la jupette.
Moi (en soupirant) : Tu as peut-être raison.
Bianca : D'autant plus que la culotte est un peu G-string.

J'ai écarquillé les yeux.

Moi : Tu me niaises ?
Bianca : Non. Mais c'est à la mode, ça aussi !

J'ai observé l'arrière du maillot en forme d'Y.

Moi : C'est décidé : je vais garder la jupette.
Bianca (en souriant) : Comme tu veux. Es-tu prête à l'essayer ?
Moi : OK. Veux-tu m'accompagner aux toilettes ?
Bianca : Pas besoin. Change-toi ici.
Moi : Euh, je ne suis pas *full* à l'aise de me mettre toute nue devant toi.
Bianca (en riant et en me tournant le dos pour me donner un peu d'intimité) : J'avais oublié à quel point les gens étaient pudiques au Québec. En Californie, on ne ressent aucune gêne. Tout le monde est libre de s'exprimer.
Moi (en m'installant au fond du local et en faisant des contorsions pour enfiler le maillot tout en gardant mes sous-vêtements) : Il y a une différence entre s'exprimer et s'exhiber.
Bianca : J'ai été élevée sans me soucier de la nudité, mais je comprends si ça te gêne.

Elle avait dit ça d'un ton calme et sans arrière-pensées. Malgré tous mes efforts, il m'était parfois difficile de la détester.

Moi (en replaçant la jupette) : OK, c'est bon. Tu peux te retourner.

Le visage de Bianca s'est aussitôt éclairé.

Bianca : WOW ! Le motif de léopard te va à merveille ! Ça, c'est sans compter les ouvertures de chaque côté qui font ressortir ta taille de guêpe.
Moi (en éclatant de rire) : Tu me niaises, là ? Moi, une « taille de guêpe » ?
Bianca (en s'approchant de moi et en souriant) : Mets-en ! J'ai l'air d'une joueuse de football à côté de toi !
Moi : Si ça peut te consoler, je me sens souvent comme une fourmi difforme.
Bianca (en me souriant) : Si tu as envie de te muscler, tu peux venir t'entraîner avec les gars et moi pour le triathlon !
Moi : C'est gentil, mais je n'ai pas vraiment le temps en ce moment. Je préfère apprendre à vivre avec mon corps imparfait.
Bianca (en m'observant de la tête aux pieds) : En tout cas, ce maillot te va comme un gant.
Moi : J'ai comme du mal à te croire.
Bianca (en se rendant dans le coin du local) : Attends. J'ai un miroir qu'on utilise justement pour les essayages.

Elle a appuyé le miroir contre le mur et m'a fait signe de m'approcher. Quand j'ai vu mon reflet, je n'ai pu m'empêcher de grimacer. J'avais l'air d'un bébé léopard potelé.

Moi : Pour une fille qui a de l'expérience dans le domaine et qui a du goût, je ne peux pas croire que tu trouves que cette horreur me met en valeur !
Bianca (d'un ton moralisateur) : Léa, un défilé de mode, c'est fait pour oser. Si je te faisais porter un bikini noir, tu ne te démarquerais pas du lot !
Moi : C'est vrai que je risque de capter l'attention. Le problème, c'est que je ne crois pas que ce soit pour les bonnes raisons.
Bianca : Mais oui ! On va relever ta crinière blonde en chignon, on va te trouver de super talons et on va te maquiller au max. Tu vas voir, même toi, tu vas triper !

Un bébé léopard potelé avec du rouge à lèvres. Au. Secours.

J'ai renfilé mes vêtements tandis qu'elle rangeait son cahier de notes.

Moi (en prenant mon sac) : As-tu une idée de quand auront lieu les répétitions ?
Bianca : C'est sûr qu'avec le voyage en France, on doit embrayer. Je prévois donc commencer tout de suite après les fêtes.

J'ai acquiescé et me suis dirigée vers la sortie.

Bianca : Au fait, est-ce que tu viens à Paris ?
Moi (en souriant) : Oui ! Mes parents viennent juste de me donner le feu vert !
Bianca : Cool ! Je suis contente que ta « situation » ne t'empêche pas de participer au voyage.
Moi (en haussant un sourcil) : Hum ? De quoi tu parles ?

Bianca m'a lancé un regard rempli de pitié et de fausse compassion.

Bianca (en baissant le ton) : Alex m'a raconté ce qui s'est passé entre vous.
Moi (en feignant l'innocence) : Qu'est-ce qu'il t'a dit, au juste ?
Bianca : Il n'est pas rentré dans les détails, mais je sais que vous êtes un peu en froid depuis votre baiser et la discussion qui s'en est suivie. Toi, comment te sens-tu ?

J'étais sans mot. D'un côté, je n'étais pas trop surprise qu'Alex se soit confié à elle, puisqu'ils semblaient inséparables depuis quelque temps, mais d'un autre, je ne pouvais faire autrement que de me sentir trahie.

Moi (en m'efforçant de garder mon calme) : Je... Je n'ai pas trop envie d'en parler.

Bianca : Je comprends. Mais sache que ce n'est pas facile pour lui non plus. Il tient beaucoup à toi, Léa.

Je suis sortie du local sans rien dire. J'étais hors de moi. J'ai alors aperçu Alex qui jasait nonchalamment avec José et Marianne près de son casier, ce qui n'a pas aidé à me calmer.

Moi (en me postant devant lui) : Je peux te parler ?
Alex (surpris) : Euh, OK.
José (en me dévisageant) : Bonne chance, *man*.
Moi (en regardant José et Marianne s'éloigner) : Est-ce qu'il dit ça parce qu'il sait ce qui est arrivé le soir de l'Halloween ?
Alex : Hein ? Non ! Pourquoi tu me demandes ça ?
Moi (en haussant un peu le ton) : Parce que ça ne m'étonnerait pas de toi.
Alex : De quoi tu parles ?
Moi : Du fait que tu sois allé raconter à Bianca que nous étions « en froid ».
Alex (sur la défensive) : Léa, je ne comprends pas pourquoi tu es fâchée contre moi.
Moi : Ce qui s'est passé, ça ne regarde personne d'autre que nous.
Alex : Je suis d'accord, mais comme tu as toi-même décidé de te confier à Marilou, Jeanne, Éloi et Katherine, je trouve que tu es mal placée pour parler. Et comme tu m'ignores

et que tu me fuis depuis une semaine, excuse-moi si j'ai ressenti le besoin d'en parler à *une* personne de confiance.
Moi (en croisant les bras sur ma poitrine) : Je ne te fuis pas. Je suis juste très occupée !
Alex (en plissant les yeux) : *Come on*, Léa. Penses-tu que je ne vois pas que tu essaies de te trouver une excuse pour éviter de dîner avec moi demain ? Et crois-tu vraiment que je n'ai pas vu Jeanne donner un coup de coude à Éloi pour qu'il allume ?
Moi : OK, *fine*. Je n'ai pas envie qu'on mange en tête à tête.
Alex : Pourquoi ?
Moi : Parce que contrairement à toi, je ne suis pas capable de faire semblant que rien n'est arrivé, moi.
Alex : Je ne fais pas semblant. J'essaie juste d'aller de l'avant et de ne pas laisser cette histoire ruiner notre amitié. Et aux dernières nouvelles, tu étais du même avis que moi.
Moi : Ça, c'était avant que Bianca ne me prenne pour Bambi.
Alex : Arrête de réagir en bébé, Léa !
Moi : Et toi, arrête de me faire croire que les choses n'ont pas changé.
Alex : C'est vrai. Mais je ne crois pas que ce soit juste de ma faute.
Moi : De quoi tu parles ?
Alex : Jeanne, Kath et Éloi sont beaucoup plus distants avec moi depuis que tu leur en as parlé. Comme c'est un

peu bizarre entre toi et moi, j'imagine qu'ils ne savent pas comment agir et détendre l'atmosphère. Les choses vont finir par se replacer, mais en attendant, ne m'en veux pas si je me rapproche un peu de mes autres amis. Je n'ai quand même pas envie de passer mon secondaire cinq tout seul dans un coin !

J'ai hoché la tête d'un air triste. Je ne savais plus quoi dire. Au fond, il avait raison. Je l'évitais et je savais que mes amis étaient solidaires avec moi. Ce qu'il ignorait, c'est qu'ils réagissaient ainsi parce que j'avais le cœur en miettes.

Alex (en s'adoucissant) : Rongeur, je n'ai pas envie qu'on se dispute. Ni qu'on s'éloigne.

Il a fait un pas vers moi et il a serré ma main dans la sienne. J'ai levé les yeux vers lui et j'ai senti mon cœur chavirer. Je l'aime tellement. Son odeur et sa proximité me rendaient folle.

Moi (en retirant doucement ma main) : Moi non plus, Alex. Mais j'ai l'impression que ça arrive malgré nous.
Alex : Et qu'est-ce qu'on est censés faire ?
Moi (en haussant les épaules) : Laisser la poussière retomber. Peut-être que ça va mal parce qu'on essaie trop de forcer les choses.

Alex : Est-ce que ça veut dire qu'on ne peut plus être amis ?
Moi (en baissant les yeux) : Non. Ça veut juste dire qu'il faut laisser le temps faire son œuvre. Allons-y un pas à la fois.
Alex (en essayant de détendre l'atmosphère) : J'aime ça quand tu te transformes en écureuil philosophe.

J'ai souri.

Moi : Il faut que j'y aille. Mais sache que tu es toujours le bienvenu pour te joindre à nous.
Alex : OK.
Moi : *Ciao*, Alex.

Je me suis éloignée pour reprendre mon souffle. La vérité, c'est que j'avais un peu honte. C'était plus facile de blâmer Alex pour mes malheurs que d'admettre que c'était moi qui étais en train d'ériger un mur de briques entre nous.

Sur ces sages paroles, je vais aller me coucher. Il est tard et je suis fatiguée.

Tu me manques !
Léa xox

Samedi 14 novembre

13 h 41

Léa (en ligne): Lou?

13 h 42

Marilou (en ligne): Je suis là! J'allais justement répondre à ton courriel. Comment vas-tu?

13 h 42

Léa (en ligne): Je survis. Et toi, madame Je-fais-des-plans-d'avenir-avec-mon-chum?

13 h 42

Marilou (en ligne): Relaxe! Je n'ai même pas encore commencé mes demandes pour le cégep!

13 h 43

Léa (en ligne): Je ne faisais pas juste référence à ton avenir scolaire... #TsaisVeutDire #EssaieDeComprendreMesSous-Entendus.

13 h 43

Marilou (en ligne) : Je n'ai rien à ajouter à ce niveau-là non plus ! #TuSerasLaPremiereÀLeSavoir #PasÉvidentDePasserDuTempsSeuleAvecJPQuandOnAUnPetitFrèreCollant. Mais assez parlé de moi ! C'est tellement cool que tu partes à Paris ! Réalises-tu à quel point tu es chanceuse ?

13 h 44

Léa (en ligne) : Je sais ! C'est encore irréel. Tu sais à quel point j'ai toujours rêvé d'y aller !

13 h 44

Marilou (en ligne) : Oui ! Et tu sais que j'ai toujours souhaité t'y accompagner. Mais là, je suis plutôt pognée pour rester dans ma campagne profonde et me faire croire que l'architecture du casse-croûte Chez Lynda est aussi spectaculaire que l'Arc de triomphe !

13 h 45

Léa (en ligne) : Ha ! Ha ! Ha ! Ne t'en fais pas ! On aura l'occasion de se reprendre !

13 h 45

Marilou (en ligne): J'espère! Et à part ça? Comment ça se passe à l'école?

13 h 46

Léa (en ligne): De la folie: je travaille déjà sur ma prochaine chronique pour le journal; Annie-Claude a convoqué une autre réunion avec moi et Maude la semaine prochaine, et Bibi continue de me regarder comme si j'étais Bambi esseulé.

13 h 47

Marilou (en ligne): Ha! Ha! Ha! Au moins, ça te donne moins le temps de penser à Alex.

13 h 47

Léa (en ligne): Ouais. Et je peux aussi compter sur Katherine et Jeanne pour m'étourdir. Elles m'ont même convaincue de «sortir» ce soir pour me changer les idées!

13 h 48

Marilou (en ligne) : Ouh ! Ça sonne excitant ! Vous allez où, mes petites rebelles ?

13 h 48

Léa (en ligne) : Katherine est censée parler à Félix pour qu'il nous traîne à l'un de ses partys de cégep. Je pense qu'elle a plus de chance de le convaincre que moi. Et toi ? Qu'est-ce que tu fais ce soir ?

13 h 49

Marilou (en ligne) : Je vis mon pire cauchemar : j'accompagne JP chez Thomas pour célébrer la fête de Sarah Beaupré.

13 h 49

Léa (en ligne) : NON ! Tu me niaises ?

13 h 50

Marilou (en ligne): Malheureusement non. J'ai essayé de convaincre JP de faire autre chose, mais il m'a fait comprendre que Thomas avait insisté pour qu'on y aille. Évidemment, j'ai essayé de me défiler en prétextant un mal de larynx, mais quand Thomas m'a lui-même relancée par téléphone, je n'ai pas été capable de refuser.

13 h 50

Léa (en ligne): Attends! Mon ex-chum t'a téléphoné pour te convaincre d'assister au party de fête de sa blonde qu'on déteste, et tu ne m'en as pas parlé?

13 h 51

Marilou (en ligne): C'est arrivé ce matin.

13 h 51

Léa (en ligne): Je ne sais pas ce qui me déstabilise le plus: que tu doives faire semblant d'aimer Sarah ou le fait que Thomas t'appelle!

13 h 52

Marilou (en ligne): Avoue ! Je sais qu'on est en meilleurs termes depuis que j'ai pleuré dans ses bras l'été dernier, mais je n'irai pas jusqu'à dire qu'on est des *best*. La bonne nouvelle, c'est que j'aurai sûrement quelques anecdotes croustillantes à te raconter après le party.

13 h 53

Léa (en ligne): J'ai hâte ! Bon, il faut déjà que je te laisse : Jeanne vient d'arriver chez moi pour qu'on discute du financement du voyage.

13 h 53

Marilou (en ligne): Bonne chance et amusez-vous bien ce soir !

13 h 54

Léa (en ligne): Merci ! Tu salueras Sarah de ma part ! #Not

13 h 54

Marilou (en ligne) : Sans faute ! #PasQuestion

13 h 54

Léa (en ligne) : Je t'aime ! xox

13 h 55

Marilou (en ligne) : Moi plus ! xox

À : Léa_jaime@mail.com
De : Marilou33@mail.com
Date : Lundi 16 novembre, 19 h 44
Objet : Un cauchemar nommé Sarah

Coucou !
Es-tu vivante ? J'ai essayé de te joindre trois fois depuis dimanche, mais sans succès. Comment s'est déroulée votre sortie de samedi soir ?

De mon côté, le party de Sarah s'est révélé encore plus désastreux que je ne l'avais appréhendé, et même si j'avais convaincu Laurie de m'y rejoindre avec son chum Jonathan pour plus de soutien moral, j'ai senti le stress m'envahir dès qu'on a franchi la porte d'entrée.

Thomas (en tendant la main à JP) : Salut, *man* ! Allo, Marilou !

Il m'a embrassée sur la joue et m'a dévisagée.

Thomas : Ça va ? Tu as l'air bizarre.
Moi : J'ai le larynx tendu. Mais ça va passer.

Il m'a regardée d'un drôle d'air avant d'aller ranger mon manteau. J'ai jeté un coup d'œil vers le salon. Sarah était assise sur le sofa et discutait avec Odile, Géraldine et deux autres filles en buvant une bière. Elle portait une camisole noire qui mettait son *Troue Love* bien en valeur. J'ai esquissé un sourire.

JP (en me serrant contre lui) : Content de voir que tu retrouves ta bonne humeur.
Moi (en chuchotant dans son oreille) : Le tatouage de Sarah a toujours cet effet-là sur moi.
JP (en me faisant de gros yeux) : Lou ! Tu m'as promis de faire un effort !

Laurie est entrée avant que j'aie le temps de me défendre.

Thomas : Salut, Laurie. Content que tu sois là !
Laurie : Thomas, je te présente mon chum Jonathan.

J'ai aperçu Odile et Sarah regarder dans notre direction avant de chuchoter entre elles. Je voyais bien que le chum de Laurie ne les laissait pas indifférentes.

Sarah a finalement daigné se lever pour nous rejoindre.

Sarah (en me regardant et en forçant un sourire) : Salut, Marie-Louise. Je vois que tu n'as pas amélioré ton look depuis la dernière fois que je t'ai vue.
Thomas (en essayant d'intervenir) : Sarah, franchement !

Moi (du tac au tac) : Salut, Farrah. Moi, je remarque que tu arbores toujours aussi fièrement tes piètres connaissances de l'anglais.

Laurie a éclaté de rire.

JP : Marilou, arrête !

Sarah m'a regardée en plissant les yeux. Elle avait l'air d'une souris qui prépare un mauvais coup. Ses yeux se sont ensuite rivés sur Jonathan.

Sarah (en battant des cils et en lui tendant la main) : Désolée, mais ta blonde n'a pas eu la classe de te présenter à tout le monde. Quel est ton nom ?
Jonathan : Je m'appelle Jonathan.
Sarah : Viens ! Je vais te présenter mes *vraies* amies.

Elle l'a attiré vers le sofa pour le présenter à sa gang de cruches.

Moi (en écarquillant les yeux et en m'adressant à Laurie) : *OMG !* Elle est encore plus culottée que je le pensais !
Laurie (en haussant les épaules) : Ça ne m'étonne pas d'elle. Mais il est hors de question que je la laisse m'atteindre. Ça lui accorderait trop d'importance.

Moi : Wow. Peux-tu me vendre un peu de ton assurance ? J'en aurais besoin !

Laurie a ri avant de poursuivre.

Laurie : Tu réalises que tu n'as rien à envier à cette fille-là, hein ?
Moi : Oui, mais ça ne l'empêche de me taper sur les nerfs quand elle essaie de corrompre ton chum !
Laurie : Crois-moi : Jo n'est pas assez con pour tomber dans le piège. Sinon, je ne serais pas avec lui.
Moi : Sérieusement, Laurie, veux-tu être ma nouvelle guide spirituelle ?
Laurie (en frappant des mains pour exprimer sa joie) : Mets-en ! D'autant plus que ça me permettra de renflouer mon CV pour le cégep !
Moi : Sais-tu où tu veux faire une demande ?
Laurie : Pas mal partout à Québec ou Montréal. J'aimerais m'orienter vers la communication à l'université.
Moi : Ce serait cool qu'on se ramasse toutes les deux à Québec !
Laurie : Mets-en !
Moi : Penses-tu que Steph nous suivrait ?
Laurie : J'ai le *feeling* que oui. Je l'imagine bien étudier en psychologie ou genre en anthropologie.
Moi (en riant) : Moi aussi !

On a continué à jaser de notre côté pendant près d'une heure tandis que son chum et JP socialisaient avec Thomas, Seb et les cruches.

Quand j'ai vu Thomas allumer les bougies du gâteau d'anniversaire de Sarah, j'ai prétexté une envie de pipi pour m'éclipser.

J'ai décidé d'errer un peu dans l'appartement le temps que les célébrations se terminent. Comme la porte de la chambre de Thomas était ouverte, j'y suis entrée pour regarder les photos et les affiches sur le mur. Il y avait des revues de voitures un peu partout. C'est d'ailleurs en soulevant un manuel automobile que je suis tombée sur une photo de toi prise au parc juste avant ton déménagement. J'ai été tentée de la mettre bien en évidence pour faire suer Sarah, mais les paroles de sagesse de Laurie me sont revenues à l'esprit et m'ont ramenée à l'ordre.

Des bruits de pas en dehors de la chambre m'ont fait sursauter. J'ai tout replacé en vitesse et j'ai avancé sur la pointe des pieds. J'ai jeté un coup d'œil furtif dans le corridor et j'ai aperçu Sarah qui s'était installée en retrait avec Jonathan. Elle était appuyée contre le mur tout près des toilettes et elle lui parlait en gloussant comme une dinde. Je voyais bien qu'elle avait trop bu. J'aurais pu intervenir sur-le-champ et l'interrompre dans sa lancée, mais j'ai préféré me cacher pour espionner leur conversation. Je sais que c'est croche, mais j'étais curieuse de voir jusqu'où elle allait pousser l'audace.

Sarah : Maintenant qu'on est seuls, veux-tu me dire ce qu'un beau gars comme toi fait avec une fille comme Laurence ?
Jonathan (en riant) : Son prénom est Laurie. Et elle m'avait prévenue que tu étais un peu diabolique.
Sarah : Pff. Du tout. Je suis juste une fille qui apprécie les beaux spécimens comme toi. Et je ne vais certainement pas me gêner pour te le dire.
Jonathan : Je ne pense pas que ton chum serait content de t'entendre parler comme ça.
Sarah : Bof, ça fait tellement longtemps qu'on est ensemble qu'il comprend que j'aie parfois envie de regarder ailleurs.

Jonathan a ri. Il avait l'air à la fois nerveux et flatté d'entendre ça. Rien de bien rassurant pour Laurie.

Jonathan : Je ne crois pas que ce soit la place pour me dire des choses comme ça.
Sarah : T'as peut-être raison. Donne-moi donc ton cell !

J'ai avancé la tête pour voir ce qu'elle faisait. Elle tapotait sur son iPhone en se mordant la lèvre.

Sarah : Tiens. Maintenant, tu as mon numéro. Appelle-moi si tu veux avoir du *fun*.

Elle lui a donné un baiser sur la joue avant de regagner le salon tandis que Jonathan l'observait de loin. J'ai reculé pour éviter qu'il me voie, mais ce faisant, j'ai fait craquer le plancher. Jonathan a aussitôt regardé dans ma direction. J'ai retenu mon souffle en priant les dieux pour qu'il rejoigne sa blonde, mais il est plutôt apparu devant moi quelques secondes plus tard.

Jonathan (les yeux ronds comme des dix sous) : Marilou ? Qu'est-ce que tu fais là ?

J'étais seule et appuyée contre le mur de la chambre de Thomas. Je voyais difficilement comment m'en sortir sans lui avouer que j'avais surpris sa conversation avec Sarah.

Moi : Je... Euh... Je cherchais mon manteau. Je suis un peu tannée d'être ici et je veux partir.

Jonathan a semblé soulagé.

Jonathan : Je pense que Thomas les a mis dans la chambre de sa mère.
Moi (m'éloignant tout en riant nerveusement) : Ah ! Ben oui ! Je suis donc bien nouille !

Jonathan : Marilou ?

Je me suis retournée vers lui.

Moi : Oui ?
Jonathan : Ça va ?
Moi : Euh, oui. Pourquoi tu me demandes ça ?
Jonathan (en souriant) : Pour rien.

Je ne savais pas trop quoi penser. Est-ce que j'étais censée en parler à Laurie ?

JP est alors venu me rejoindre.

JP : T'étais où ?
Moi (en l'attirant contre moi pour lui parler dans l'oreille) : Il faut absolument que je te parle !
JP : Est-ce que ça peut attendre à plus tard ? Thomas nous attend pour commencer une partie de poker.
Moi (en grimaçant) : Je ne connais rien à ce jeu-là.

Laurie est arrivée sur ces entrefaites.

Laurie : Lou, je t'aime beaucoup, mais comme les parents de Jo ne sont pas là en fin de semaine, je pense qu'on va se sauver pour passer un peu de temps en amoureux.
Moi : Qu'est-ce que tu veux dire par là ?

Laurie (en me regardant comme si j'étais une dinde) : Est-ce que j'ai besoin de te faire un dessin ?

J'ai senti la panique s'emparer de moi. Je ne pouvais pas tolérer que l'une de mes meilleures amies se fasse avoir par un gars potentiellement louche.

Moi : Écoute, Laurie, je me sens mal de te dire ça, mais j'ai surpris Sarah en train de *cruiser* ton chum.
Laurie : Ouais, il me l'a dit. Il paraît qu'elle était pas mal désespérée !
Moi : Qu'est-ce qu'il t'a raconté, au juste ?
Laurie : Qu'elle lui avait fait des avances, mais qu'il lui avait expliqué qu'il avait une blonde qu'il aimait.
Moi (en me mordant la lèvre) : C'est pas exactement ce que j'ai vu...
Laurie : Tu as sûrement mal interprété la scène. Je suis sûre qu'il essayait juste de s'en sortir sans l'humilier complètement. Jo a cette fâcheuse habitude de vouloir plaire à tout le monde.
Moi : Laurie, je ne crois pas avoir halluciné. Elle lui a même donné son numéro.
Laurie : C'est gentil de te préoccuper pour moi, Lou, mais comme je t'expliquais plus tôt, je ne laisserai certainement pas cette fille miner ma confiance en lui.
Moi : C'est comme tu le sens...

Laurie (en m'embrassant sur la joue) : Exact. On se parle demain !

J'ai soupiré et je me suis collée contre JP.

Moi : J'ai envie de partir, moi aussi.
JP (en me suppliant du regard) : Mais on s'apprête à jouer au poker.
Moi : Reste si tu veux. Moi, j'ai eu ma dose de Sarah.
JP : Elle n'est pas si pire que ça. C'est à peine si elle t'a adressé la parole.
Moi : Ça, c'est parce qu'elle était trop occupée ailleurs.
JP : Qu'est-ce que tu veux dire ?
Moi : Que Thomas devrait surveiller sa blonde. Elle a les hormones dans le tapis et *cruise* tout ce qui bouge, incluant le chum de Laurie.
JP (en haussant les épaules) : Ce n'est pas de nos affaires.
Moi : Ça ne te dérange pas que ton meilleur ami soit cocu ?

JP s'est contenté de rouler les yeux.

JP : Tu es sûre que tu ne seras pas fâchée si je reste ?
Moi : Non. Ça, c'est l'ancienne Marilou.
JP (avec une pointe de sarcasme) : C'est vrai que la nouvelle version est beaucoup moins contrôlante et potineuse.
Moi (en lui donnant une bine) : Eille !
JP : T'es belle quand t'es fâchée.

Moi (en l'embrassant) : Bon, je me sauve. Tu salueras Thomas de ma part.

Je suis rentrée chez moi et j'ai mis plus d'une heure à m'endormir. L'histoire entre Jonathan et Sarah me hantait, et j'avais hâte d'en reparler avec Laurie. L'occasion s'est enfin présentée lorsque je l'ai aperçue à son casier, ce matin.

Moi : Alors, tu as passé une bonne fin de semaine ?
Laurie (un peu froide) : Correct.
Moi : Ça va ?
Laurie (en se retournant vers moi) : Pas vraiment. Je me suis disputée avec Jonathan à cause de toi.
Moi : Hein ?
Laurie (en soupirant) : Tes paroles m'ont rendue paranoïaque, Lou ! J'ai fini par lui en parler hier, mais il n'a pas super bien réagi.
Moi : Oh. Je m'excuse. Ce n'était pas mon intention ; je voulais juste te protéger...
Laurie : Je sais. Ce n'est juste pas du tout mon genre d'être aussi *insécure*, et je me sens mal d'avoir douté de lui.
Moi : Ne sois pas aussi dure envers toi. Tu as le droit de vivre des moments de doute comme tout le monde.
Laurie : Je ne veux pas être blessante, Lou, mais on est très différentes, toi et moi.
Moi : Ça veut dire quoi, ça ?

Laurie : Que je ne suis pas adepte des drames et des complots.
Moi : Ben là ! Tu parles comme si j'étais une *drama queen*.

Elle m'a envoyé un regard plein de sous-entendus avant de s'éloigner.

Je me sentais tellement mal que j'ai fini par résumer la situation à Steph pour avoir son avis. Elle m'a assuré que j'avais fait le bon choix en parlant à Laurie, mais que le reste ne m'appartenait plus. Qu'en penses-tu ?

Donne-moi signe de vie ! Je commence à m'inquiéter !
Lou

Chapitre 3 : Carpe diem *et petit pois vert*

À : Marilou33@mail.com
De : Léa_jaime@mail.com
Date : Lundi 16 novembre, 22 h 11
Objet : La honte, version 9098272

Salut, Lou !
Désolée d'avoir disparu de la carte depuis deux jours, mais j'avais besoin de me cacher sous mes couvertures pour oublier la honte de samedi soir.

Mais avant de plonger dans le récit de mes dernières péripéties, je tiens tout de suite à te rassurer : tu as bien fait d'en parler à Laurie. Je la connais assez pour savoir que c'est une fille orgueilleuse, et probablement que ce qui l'irrite en ce moment, c'est de devoir admettre qu'il y a anguille sous roche. Sinon, elle n'aurait pas réagi comme ça avec son chum.

Et tu n'as pas halluciné : Sarah a bel et bien donné son numéro à Jonathan, et ce dernier a vraiment été flatté par le geste. Personnellement, je n'aimerais pas que mon chum joue ce petit jeu dans mon dos.

Pour en revenir à samedi, Katherine m'a rejointe chez moi vers 19 heures et nous sommes parties avec Félix une heure plus tard pour assister à un party chez Zack.

Ma mère : Soyez prudentes, les filles !
Moi : Comme on s'en va chez un gars qui cultive les edamames et qui croit que chaque humain possède une aura digne de celle de Dora, je ne m'en fais pas trop pour notre sécurité.
Félix : Sa propension pour le bonheur n'a rien à voir avec sa capacité d'ingurgiter des quantités astronomiques d'alcool.

Ma mère a grimacé et mon père a froncé les sourcils.

Mon père : Pardon ?
Moi (entre mes dents) : Merci, Félix. C'était super utile comme commentaire.
Mon père : Est-ce que ça veut dire qu'il y aura de l'alcool au party ?

Katherine, Jeanne, Félix, ma mère et moi avons éclaté de rire.

Mon père : Quoi ?
Ma mère : Chéri, ton fils a dix-neuf ans et il entre à l'université l'an prochain. Je pense que poser la question, c'est y répondre.
Mon père : Mais ma fille n'a que seize ans !
Moi : Bientôt dix-sept !
Mon père : Ça revient au même : tu es mineure !

Moi : Papa, ce n'est pas la première fois que je vais dans un party. Pourquoi tu capotes ?
Ma mère (en embrassant mon père sur la joue) : Parce qu'il a encore de la difficulté à te voir vieillir.
Félix : Ou peut-être parce que Léa a la maturité d'une enfant de huit ans.
Moi : Eille !
Katherine (en essayant de calmer le jeu) : Je pense que ce que Léa essaie de vous dire, monsieur Olivier, c'est que vous n'avez pas d'inquiétude à avoir. Et si ça peut vous rassurer, je garderai un œil sur elle toute la soirée.

Mon père a grommelé une réponse et ma mère nous a fait signe de partir.

Moi (en m'installant sur la banquette arrière) : Papa est donc bien intense, ce soir.
Jeanne (en s'assoyant à ma gauche) : Moi, je trouve ça *cute* qu'il soit protecteur comme ça.
Katherine (en se retournant vers nous) : Moi aussi !
Moi : Je préférerais qu'il me fasse confiance.
Jeanne : Je pense que ce sont des autres dont il se méfie.
Moi : Ben là ! Je suis assez mature pour faire des choix intelligents.

Félix a éclaté de rire.

Moi : Pourquoi tu ris, toi ?
Félix : Parce que tu te connais mal.
Moi : Du tout. La preuve, c'est que j'ai toujours été plus responsable que toi.
Félix : Si c'est le cas, pourquoi n'es-tu pas la conductrice attitrée, ce soir ?
Moi : Parce que je n'ai pas encore mon permis.
Félix : Et pourquoi, donc ?
Moi : Parce que j'ai peur de conduire.
Félix : Pff. Tu as peur de tout, la sœur ! Ce n'est pas étonnant que papa te couve comme si tu avais deux ans.
Jeanne : Tu exagères, Félix ! Kath et moi n'avons pas nos permis, nous non plus.
Moi : Non, mais tu es en train d'amasser l'argent pour suivre tes cours et Kath est déjà en train de les suivre. Félix a raison : j'ai peur de tout et j'agis en bébé.
Katherine (en donnant une claque en arrière de la tête de Félix) : T'es donc ben niaiseux, toi ! Penses-tu vraiment que Léa a besoin de ça, en ce moment ?
Félix : Oui, justement ! Quand j'étais aussi flasque qu'un ver de terre et que des mouches me tournaient autour de la tête, ma sœur a été la première à me donner du *tough love*. Ben là, c'est à son tour de se faire parler dans le casque.
Katherine : OK, mais plutôt que de la critiquer, tu pourrais te concentrer sur quelque chose de constructif qui lui permettrait d'avancer.

Moi : Allo ? Pas besoin de parler de moi à la troisième personne !
Félix (en me regardant dans le rétroviseur) : OK. Petite sœur, j'ai l'impression que tu te roules dans ta peine. Fonce, un peu. Vis le moment présent.
Moi (en le dévisageant) : Sérieux ? Tu vas essayer de me motiver à grands coups de *carpe diem* ?
Félix : Pourquoi pas ? Après tout, tu n'en serais pas là dans ta vie amoureuse si tu avais été honnête avec Alex.
Moi : Pff. Je te gage que ç'aurait été pire. Non seulement il m'aurait rejetée, mais en plus, je me serais sentie humiliée.
Félix : Qui te dit qu'Alex aurait réagi de la même façon si tu lui avais dit la vérité ? Et même si c'était le cas, tu en aurais le cœur net au lieu de te ronger les ongles et d'avoir des remords !
Katherine : Félix, lâche ta sœur !
Jeanne : Ouais. Donne-lui un *break*.
Moi : Non, il a raison. C'est vrai que j'ai peur de foncer. Mais il n'est pas trop tard pour que ça change.
Katherine (en souriant) : Ça veut dire quoi, ça ?
Moi (en me redressant et en tendant un poing dans les airs) : Que ce soir, je vais vivre sans penser aux conséquences !
Félix : C'est papa qui serait content d'entendre ça !

Nous avons tous éclaté de rire.

Moi : C'est décidé : je vais me faire du *fun* et je vais profiter du moment présent ! *Carpe diem !*
Katherine et Jeanne : Alléluia !

C'est dans cette optique que je suis arrivée chez Zack et que j'ai acquiescé quand quelqu'un m'a offert un verre de « punch » (qui se révéla finalement être de la vodka avec un fond de jus de fruits). C'est aussi avec une attitude positive que j'ai accepté de jouer au *beer-pong* et de mélanger tous les types d'alcool.

Après la deuxième partie, j'ai décidé d'aller danser (ou plutôt de tituber) en entraînant Katherine avec moi.

Note de l'auteure : prière d'imaginer une voix d'ivrogne à la lecture de mes répliques.

Katherine (en me regardant d'un air inquiet) : Je sais que tu es remplie de bonnes intentions, mais je pense que tu devrais boire un peu d'eau.
Moi (en levant le doigt) : Tsss ! Mais non ! Ce qu'il faut, c'est faire la fête et profiter de la vie. Je suis une fille transssssforméééée !

Katherine a ri et m'a tendu une bouteille d'eau.

Katherine : Bois ça ! Tu vas me remercier demain matin.

Moi (en la prenant par le bras) : Kath, t'es tellement gentille de t'occuper de moi.
Katherine : Je ne fais que mon devoir. N'oublie pas que je l'ai promis à ton père.
Moi (en poursuivant sur ma lancée) : Je sais qu'on a traversé des moments pas évidents toi et moi, mais il faut que je te dise que JE T'AAAAAIIIMMME !
Katherine (en riant) : Moi aussi, je t'aime, Léa.
Moi : Et il faut que je te dise autre chose.
Katherine (en m'attirant vers un sofa pour qu'on s'assoie) : Quoi donc ?
Moi : Félix a raison ! Il faut saisir le moment présent. Regarde-moi, je n'ai rien saisi pantoute et je suis toute seeeeule. C'est pour ça qu'il faut que tu appelles Oli et que tu lui dises qu'il est l'amour de ta viiiiiie !

J'ai maladroitement sorti mon cellulaire de mon sac et le lui ai tendu.

Moi : Tiens ! Appelle-le.
Katherine : Maintenant ?
Moi : Ben oui ! Tu n'as pas de temps à perdre ! *CARPE DIEM !*
Katherine (en replaçant mon cellulaire dans mon sac) : Je ne pense pas que ce soit le meilleur moment.
Moi (en secouant la tête) : Kath, tu ne veux pas finir ton secondaire et regretter de ne lui avoir rien dit.

Katherine m'a regardée en souriant.

Katherine : T'as raison.
Moi (en reprenant mon téléphone) : Et moi non plus ! C'est pour ça que je vais texter Alex tout de suite pour lui dire ma façon de penser !

Katherine a écarquillé les yeux.

Katherine : Mauvaise idée, Léa !
Léa : Au contraire ! C'est une excellente idée ! Olivier doit savoir que tu l'aimes, et Alex doit comprendre qu'il est con parce que je l'aime.
Katherine (en m'arrachant le téléphone des mains) : Si jamais demain tu trouves que c'est encore une bonne idée de lui écrire, alors tu le feras. Mais pour l'instant, c'est mon devoir de te confisquer ton téléphone.
Moi (en posant ma tête sur son épaule) : Merci. T'es fine.
Katherine : Je fais juste ma *job*.
Moi (en me redressant) : Kaaaaath ?
Katherine : Hum ?
Moi : J'ai mal au cœur.

Katherine s'est levée et m'a tirée par le bras.

Katherine : Viens. On va prendre l'air.

Nous sommes sorties sur la véranda où plusieurs s'étaient rassemblés pour fumer.

Je me suis laissée tomber sur un banc en fermant les yeux et prenant une profonde inspiration. Ma tête tournait.

Katherine : Reste ici deux minutes. Je vais chercher Jeanne.

J'ai acquiescé en souriant. Quand j'ai finalement soulevé les paupières, j'ai remarqué qu'un gars était assis à côté de moi et me regardait d'un air amusé.

Moi (en lui tendant la main) : Salut ! Moi c'est Léa et ce soir je suis *CARPE DIEM !*

Il a ri et a serré ma main.

Lui : Je m'appelle Pierre-Alexandre.

Son prénom m'a fait grimacer.

Moi : Je vais t'appeler Pierre, OK ? Ton autre prénom m'énerve.
Lui : Pierre, ça fait trop sérieux. Est-ce qu'on peut s'entendre sur P-A ?

Moi (beaucoup trop enthousiaste) : OUI ! C'est tellement une bonne idée. Alors comment vas-tu, P-A ?
Lui : Bien. Toi aussi, on dirait ?
Moi : J'allais mal, mais là ça va mieux, parce que j'ai bloqué certaines personnes de mon esprit.
Lui : Je devine qu'il y a un Alexandre parmi eux ?
Moi (en posant brusquement mon doigt sur ses lèvres) : CHUT ! Il ne faut pas que tu me fasses penser à lui.

Katherine est réapparue.

Katherine : Jeanne est introuvable. Tu ne l'as pas vue, par hasard ?
Moi (en posant mon bras autour du cou de P-A) : Non, mais je tiens à te présenter mon nouvel ami Pierre-Paul.
PA (en riant) : C'est Pierre-Alex...
Moi : Non, non. Dis-le pas ! C'est interdit de mentionner son nom.

Katherine m'a regardée d'un drôle d'air.

Katherine : OK, madame *Carpe-diem*. Il est l'heure de rentrer.
Moi : Pourquoi ? On s'amuse, là ! Et regarde ! Jeanne aussi a du *fun* !

J'ai pointé en direction de notre amie qui embrassait un gars.

Moi (en portant la main à ma poitrine) : Aw ! Ils sont *cutes*. Ils me font penser à Alex et moi lors du dernier party.
P-A : Ah ! Je commence à comprendre pourquoi mon prénom t'énerve !
Moi (en me tournant vers lui et en posant une main sur son épaule) : Alex, je l'aime. Et je pensais qu'il m'aimait aussi. Mais il m'a dit qu'on était mieux de rester amis.
P-A (un peu mal à l'aise) : Ouch. Ça n'a pas dû être le *fun*.
Moi (en m'emportant de plus en plus) : Pas tellement, non. Pierre-Paul, tu es un gars, hein ?
P-A : Aux dernières nouvelles, oui.
Moi : Alors peux-tu me dire pourquoi vous avez peur d'être en couple ?
P-A : Je suis mal placé pour répondre. Je suis sorti trois ans avec mon ex et c'est elle qui a cassé.
Moi : AWON ! Je suis désolée, Paul. Tu ne mérites pas ça.
P-A : Toi non plus, Léa.
Moi : Je sais, mais ça m'arrive pareil ! Et lui continue de vivre sa vie avec sa Bibi comme si je n'existais pas. Comme si notre baiser ne comptait pas pour lui !

Plus je parlais, et plus je haussais le ton.

P-A (en regardant Katherine, un peu mal à l'aise) : C'est vrai que c'est plate.
Moi (en me mettant à pleurer) : PLATE, C'EST PAS LE MOT. C'EST DÉCHIRANT, PAULIN. J'AI MAAAAAAL PARCE QUE MOI, JE L'AIIIIMMMME.

Ma crise de larmes a fait décamper Pierre-Alexandre, et Katherine en a profité pour prendre sa place auprès de moi et me consoler.

Moi : KATH ! DIS-MOI QUOI FAIRE POUR QUE ÇA FASSE MOINS MAAAAL !
Katherine (en me serrant contre elle) : Ça va te sembler plate comme réponse, mais tu dois juste attendre que ça passe.
Moi (en la regardant tout en reniflant et en essuyant mes larmes avec mon chandail de laine) : Et si ça ne passe jamais ? Est-ce que je dois passer ma vie à l'aimer et à souffrir ?
Katherine : Mais non. Ça va aller mieux, tu vas voir. Tout finit par s'arranger. Il faut juste que tu sois patiente.

Elle m'a prise dans ses bras et j'ai morvé dans ses cheveux avant d'avoir un haut-le-cœur.

Moi : Kath ? Je pense que je vais être malade !

Elle m'a prise par le bras et m'a entraînée vers les toilettes. Quatre personnes attendaient déjà en file.

Katherine : Urgence ! Laissez passer !

Elles se sont tous écartées comme si j'avais le scorbut. Katherine a fermé la porte et j'ai couru vers la cuvette. Sans rentrer dans les détails, disons que j'ai passé près de vingt minutes à regretter chaque gorgée ingurgitée plus tôt.

Quand j'ai finalement repris contact avec la réalité, Katherine était assise sur le bord de la baignoire et m'aspergeait le visage avec une compresse d'eau froide.

Katherine : Tiens, bois de l'eau.

J'ai obéi.

Katherine : Ça va mieux ?
Moi (en fermant de nouveau les yeux) : Non. J'ai mal à la tête, j'ai honte et je ne boirai plus jamais de ma vie !

Katherine a souri et m'a tendu des cachets pour mon mal de bloc.

Katherine : Au moins, tu as repris des couleurs.

Moi (en me redressant et en me regardant dans le miroir) : Tu es généreuse. Moi, je trouve que je ressemble à une crotte de nez.
Katherine (en riant) : Tu as retrouvé ton sens de l'humour. C'est bon signe.
Moi (en lui souriant) : Merci de t'occuper de moi.
Katherine : Disons que c'est la moindre des choses après ce que je t'ai fait vivre dernièrement. En plus, c'est dans ma description de tâche de veiller sur les Olivier aux cœurs brisés.

Elle faisait référence au party d'Alex où elle avait passé la soirée à remonter le moral de Félix. Le souvenir de cette fête m'a fait grimacer.

Katherine (en s'accroupissant à côté de moi) : Je n'aime pas ça te voir aussi triste.
Moi : Moi non plus. Je me sens aussi dynamique qu'un gardien de sécurité dans *Unité 9* !
Katherine : Je dirais plutôt que ce soir, tu étais aussi dramatique qu'un personnage de *30 Vies*.

J'ai ri.

Moi (en me massant les tempes) : Qu'est-ce qui m'a pris de boire comme ça ? Je hais l'alcool, en plus !

Katherine (en haussant les épaules) : Je pense que tu voulais « profiter du moment présent ».
Moi : Ouais, mais là, je me ramasse avec un cœur brisé, un teint vert *et* un mal d'orgueil.

Katherine a ri.

Katherine : Ça arrive à tout le monde.
Moi : Je pense que j'essayais juste de me sentir mieux.
Katherine : Je sais.

Des coups à la porte sont venus nous interrompre.

Voix-stridente-que-j'ai-tout-de-suite-reconnue : Sortez de là ! Il y en a d'autres qui veulent utiliser les toilettes, bande de cruches !

Moi et Katherine (en écarquillant les yeux) : MAUDE !
Moi (en me redressant tant bien que mal) : Qu'est-ce qu'elle fait ici, elle ? Depuis quand elle connaît les amis de cégep de Félix ?
Katherine : Tu sais comme moi qu'elle adore se penser bonne en fréquentant des gens plus vieux !
Moi : Ça n'aide pas ma nausée, ça !
Katherine : Ne t'occupe surtout pas d'elle !
Moi (paniquée) : Si elle apprend que j'ai passé une demi-heure à vomir ma vie, elle va en parler à toute l'école !

Katherine a haussé les épaules et m'a tendu une gomme.

Katherine : Règle numéro un pour la guérison de ton cœur : te foutre de ce que Maude Ménard-Bérubé pense et raconte aux autres.
Moi (en mâchant avec acharnement) : Je ne voudrais surtout pas que ça se rende jusqu'aux oreilles d'Alex...
Katherine : Règle numéro deux pour l'atteinte de ton nouveau bonheur : te ficher encore plus d'Alex Gravel-Côté.

J'ai souri.

Moi : Merci, Kath.
Katherine (en mettant la main sur la poignée) : T'es prête ?

J'ai hoché la tête en prenant une grande inspiration. Katherine a ouvert la porte est Maude est apparue devant nous. Elle avait les deux poings sur les hanches et nous dévisageait comme si nous étions du poison à rat.

Maude (en me pointant avec son doigt manucuré) : Si je me fie au teint verdâtre de Léna, je pense que je ferais mieux d'aller chercher mon Monsieur Net avant d'entrer là-dedans.
Katherine : Écrase, Maude.

Maude : Coudonc, tu es donc bien agressive, toi. C'est le fait de triper sur les chums de tes amies qui te rend comme ça ?
Katherine : Et toi, c'est le fait que ton chum s'entraîne 24 sur 24 avec Bibi qui te rend aigrie ?
Maude : Pff. Bianca n'est pas une menace. Encore moins depuis que le *kick* de notre tomate nationale sort avec elle.
Moi : De quoi tu parles ?
Maude : Tout le monde sait que tu as *frenché* Alex à son party et qu'il t'a ensuite *flushée* pour elle.
Katherine : Tu dis n'importe quoi.
Maude (en sortant son cellulaire et en m'envoyant un sourire narquois) : À ta place, je surveillerais mes arrières, Léna. Bibi est plus sournoise qu'elle ne le laisse paraître.

J'ai titubé et Katherine m'a aidée à me ressaisir.

Katherine (en s'arrêtant et en me regardant dans les yeux) : Tu te souviens de mes deux commandements ?
Moi (en souriant) : Ne pas écouter Maude...
Katherine : ... qui invente des trucs uniquement pour te blesser et se venger de Bianca.
Moi : Et me ficher de ce que mange, pense et fait Alex Gravel-Côté.
Katherine : Bravo. Tu as tout compris.

Jeanne nous a alors rejointes.

Katherine : Tu es là, toi !
Jeanne (en rougissant) : Désolée... J'ai fait une rencontre intéressante ce soir.

Elle m'a alors regardée d'un air inquiet.

Jeanne : Ça va, Léa ? T'es un peu pâlotte.
Katherine : Elle a été malade. Et Maude est ici. Bref, c'est l'heure de partir.

Elles ont accroché Félix au passage.

Félix (en me dévisageant) : T'es verte comme un petit pois !
Moi : Disons que j'ai un peu abusé du *carpe diem*.
Katherine : Félix, es-tu en état de conduire ?
Félix : Oui. Car contrairement à ma sœur, je n'ai rien bu.
Moi (en marchant vers la voiture) : Ne me parle pas d'alcool, s'il te plaît.
Félix : Si tu vomis dans l'auto de papa, je t'assomme !
Katherine : Ne t'en fais pas. Je pense qu'elle n'a plus rien dans l'estomac.

Ils m'ont installée à l'arrière et je me suis endormie en un rien de temps. Lorsque nous sommes arrivés à la maison, j'ai fait un effort surnaturel pour retrouver mes esprits, me pincer les joues et mâcher quatre gommes. Les filles sont entrées avec moi et Félix a créé une diversion qui nous a permis de monter à ma chambre sans avoir à discuter avec mes parents.

Je me suis endormie dès que ma tête a touché l'oreiller, et le lendemain, c'est l'odeur du café que me tendait Jeanne qui m'a tirée du sommeil.

Moi (en me prenant la tête) : J'ai mal à ma vie.
Katherine (en s'installant au pied de mon lit) : Assure-toi juste d'avoir l'air radieuse en descendant à la cuisine. Ta mère est en train de préparer une omelette.
Moi (en me relevant tant bien que mal) : Hum. Il est quelle heure ?
Jeanne : Midi. Mon père vient nous chercher dans trente minutes.
Moi (paniquée) : Déjà ? Et mes parents ne se doutent de rien ?
Katherine : Ton père est parti jouer au golf avant qu'on se lève, mais je crois que ta mère n'est pas dupe.
Moi (en me levant et en me regardant dans le miroir) : Je dirais même qu'elle a des dons divinatoires et que si elle me voit avec cette face-là, elle va me gronder jusqu'à mes dix-huit ans. Je vais prendre une douche pour retrouver des couleurs et je vous rejoins en bas.

Après m'être lavée, maquillée et habillée, je suis descendue à la cuisine en sifflotant d'un air innocent. Les filles étaient assises à table et Félix regardait la télé dans le salon.

Ma mère : Tiens ! Le réveil de la marmotte.
Moi : Désolée de vous avoir fait attendre, mais je tenais à me faire belle pour vous !
Ma mère (en me regardant d'un air sceptique) : Ne me prends pas pour une valise, Léa.

La sonnette de l'entrée a retenti et mes amies se sont levées, soulagées.

Jeanne : Il faut qu'on file. *Bye*, Léa ! On se parle plus tard !
Katherine : Merci pour tout, madame Olivier.

Ma mère a attendu que les filles soient parties pour me faire face.

Ma mère : Alors, veux-tu me dire ce qui s'est passé hier soir ?
Moi (en me servant une tasse de café et en feignant l'innocence) : Je ne sais pas de quoi tu parles.
Ma mère (les mains sur les hanches) : Je parle du fait que vous êtes rentrés une heure avant votre couvre-feu et que tu as disparu tellement vite que je n'ai même pas eu le temps de te souhaiter bonne nuit. Je parle aussi du fait

que ton frère est le pire menteur de la planète et que je sais très bien que quand mon adolescente se réveille à midi et se maquille avant de se présenter devant moi, c'est qu'elle a sûrement quelque chose à se reprocher. Genre qu'elle a trop bu la veille alors qu'elle n'a que seize ans et qu'elle avait promis à son père d'être responsable.

Félix s'est levé d'un bond.

Félix (en s'enfuyant à l'étage) : Bonne chance, la sœur !

J'ai soupiré. Ça ne servait à rien de lui mentir davantage.

Moi : Tu as raison. Je m'excuse, maman.

Ma sincérité a semblé l'adoucir.

Ma mère : Qu'est-ce qui s'est passé ?
Moi : J'ai voulu « vivre dans le moment présent » et boire m'a semblé une bonne idée. Mais crois-moi, je l'ai vite regretté.
Ma mère : Léa, tu comprends que l'alcool *n'est pas* une façon d'oublier tes soucis ?
Moi : Oui. Je dirais même que ça n'a fait que les empirer.
Ma mère : Ça veut dire quoi, ça ?
Moi (en posant ma tête sur mon bras) : Que j'ai honte !
Ma mère : Pourquoi ?

Moi : Si je te le dis, tu vas m'en vouloir encore plus.
Ma mère (en me regardant d'un air paniqué) : Tu m'inquiètes. Tu n'as pas...
Moi (en l'interrompant) : Ne t'en fais pas. Je n'ai rien fait de « mal ». J'ai juste... eu l'air complètement folle.
Ma mère : Comment ?
Moi (en baissant les yeux) : J'ai raconté ma vie à un étranger en pleurant et j'ai vomi dix fois dans les toilettes de Zack.

Ma mère a soupiré et s'est assise près de moi.

Ma mère : Je suis contente que tu aies tiré une leçon de tout ça, mais je ne peux pas faire comme s'il ne s'était rien passé.
Moi : Ça veut dire quoi, ça ?
Léa : Que tu peux inviter tes copines ici, mais que tu as interdiction de sortir jusqu'à nouvel ordre.
Moi : Mais, maman ! C'est toi-même qui m'as dit que je devais foncer et continuer à vivre malgré ma peine d'amour.
Léa : J'ai dit ça pour que tu te concentres sur tes amitiés, tes projets, tes comités et tes études. Pas pour que tu fréquentes des gens trop vieux pour toi et que tu boives de l'alcool. Je suis désolée, Léa, mais c'est non négociable.

J'étais mal placée pour la contredire, car j'étais la première à regretter de m'être comportée de cette façon.

Moi : Je m'excuse de t'avoir déçue.

Ma mère s'est approchée de moi et m'a serrée contre elle.

Ma mère : Tu ne peux pas me décevoir, ma puce. Tu es ma fille et je t'aime pour le meilleur et pour le pire.
Moi (en battant des cils) : Ça veut dire que tu me pardonnes ?
Ma mère (en fronçant les sourcils) : N'essaie pas de m'amadouer, Léa. Tu as fait une grosse erreur. Tu as abusé de notre confiance et tu t'es mise en danger. Et en tant que maman, je me dois de te faire comprendre qu'il y a des conséquences quand tu agis comme ça.
Moi (en baissant la tête) : Je comprends. Est-ce que tu vas en parler à papa ?
Ma mère : Laisse-moi gérer ton père et concentre-toi sur ta santé et ton moral. OK ?
Moi : Promis.

J'ai passé le reste de la journée à faire mes devoirs (malgré mon mal de tête et les vapeurs d'alcool qui me montaient encore au cerveau) et à ressasser les événements de la veille. Je sais que je ne devrais pas, mais les paroles de Maude me sont restées à l'esprit. Et si elle disait vrai et qu'Alex et Bianca étaient plus que de simples amis ?

Aujourd'hui, j'ai essayé de repérer des comportements louches, mais comme Bibi était occupée avec son comité du bal, qu'Alex avait un match de basket et que j'avais une rencontre avec Éloi pour ma prochaine chronique (qui portera sur les défis des finissants), je n'ai pas eu l'occasion de les croiser. Je n'ai pas non plus eu la chance de questionner Jeanne au sujet du gars à qui elle a parlé samedi ni de remercier Katherine pour la cent cinquantième fois pour ce qu'elle a fait pour moi.

Et comme j'ai promis à ma mère de rentrer dès la fin des classes et de me concentrer sur mes devoirs, ça devra aller à demain !

J'espère que tu m'aimes encore, même si je me transforme parfois en grosse nouille !

Léa xox

Mardi 17 novembre

18 h 03

Jeanne (en ligne): La Terre appelle Léa !

18 h 03

Léa (en ligne): Salut ! J'espérais justement te croiser ici ! Il faut absolument que tu me parles de ce qui s'est passé avec toi samedi soir !

18 h 04

Jeanne (en ligne): Attends, je vais inviter Kath à se joindre à nous. Elle voulait justement connaître les derniers développements.

Katherine vient de se joindre à la conversation

18 h 04

Léa (en ligne): Coucou, Kath ! Je veux que Jeanne me raconte les détails concernant son mystérieux prince charmant !

18 h 05

Jeanne (en ligne): Je l'ai rencontré dans la file pour les toilettes (pas très romantique, je sais), et on a commencé à discuter. Il s'appelle Jules, il étudie avec Zack et Félix et il est très drôle.

18 h 05

Léa (en ligne): OK! Mais comment t'es-tu retrouvée à l'embrasser une heure plus tard sur la véranda? Il me semble que ce n'est tellement pas ton genre!

18 h 06

Jeanne (en ligne): Je sais, mais il faut croire que ton grand discours a aussi eu un effet sur moi.

18 h 06

Katherine (en ligne): *CARPE DIEM!*

18 h 07

Léa (en ligne): Arrête! Ça me donne envie de me cacher sous mon lit jusqu'en juin!

18 h 07

Jeanne (en ligne): Tu n'as pas à avoir honte. Après tout, tu nous as toutes inspirées ce soir-là: j'ai embrassé un inconnu et Katherine a écrit à Oli!

18 h 07

Léa (en ligne): PARDON? Kath, tu as enfin fait le grand saut?

18 h 08

Katherine (en ligne): Disons plutôt que je m'apprête à le faire. Ce que tu m'as dit sur le sofa m'a fait réfléchir, et que j'ai décidé qu'il valait mieux agir que de le regretter le jour de notre bal! Je lui ai donc écrit tout à l'heure pour qu'on se voie demain après l'école. Souhaitez-moi bonne chance pour la suite!

18 h 09

Jeanne (en ligne): Je suis certaine que tout va bien aller!

18 h 09

Léa (en ligne): Moi aussi! Et je suis vraiment soulagée que la soirée de samedi ait eu un peu de positif.

18 h 10

Katherine (en ligne): Un peu? C'est un party dont on se souviendra encore dans dix ans!

18 h 10

Jeanne (en ligne): Ça, c'est sûr!

18 h 10

Léa (en ligne): Jeanne, est-ce que tu comptes revoir Jules? Avez-vous échangé vos numéros?

18 h 11

Jeanne (en ligne): Il m'a ajoutée sur Facebook le soir même et on s'est écrit quelques messages depuis, mais je ne sais pas si ça ira plus loin.

18 h 11

Katherine (en ligne): Pourquoi?

18 h 12

Jeanne (en ligne) : Premièrement, il est plus vieux que moi, et deuxièmement, vous me connaissez : je suis bien célibataire.

18 h 12

Katherine (en ligne): C'est vrai que c'est cool de ne pas être obsédée à propos d'un gars.

18 h 12

Léa (en ligne): Moi, je n'ai même pas besoin d'être en couple pour le faire !

18 h 13

Jeanne (en ligne) : C'est parce que tu es amoureuse.

18 h 13

Katherine (en ligne) : C'est vrai que c'est l'amour qui vient compliquer toute l'affaire.

18 h 13

Jeanne (en ligne) : C'est pour ça que je préfère m'amuser sans m'engager !

18 h 14

Léa (en ligne) : On croirait entendre Félix !

18 h 14

Katherine (en ligne) : C'est vrai, ça ! Jeanne, serais-tu en train de devenir *player* ?

18 h 14

Jeanne (en ligne) : Ha ! Ha ! Non. Ce n'est tellement pas mon genre. Mais je veux juste profiter de mon secondaire cinq en ayant l'esprit tranquille.

18 h 14

Léa (en ligne) : Je te jure que je travaille très fort pour adopter la même attitude que toi !

18 h 15

Jeanne (en ligne) : Cool ! Il reste de la place dans ma gang !

18 h 15

Katherine (en ligne) : Léa, es-tu dispo demain midi ?

18 h 16

Léa (en ligne) : Je suis libre comme l'air !

18 h 16

Katherine (en ligne) : Alors je propose qu'on aille dîner toutes les trois en dehors de l'école. Loin des gars et des nunuches !

18 h 17

Jeanne (en ligne) : J'aime ça !

18 h 17

Léa (en ligne) : Moi aussi ! Surtout que c'est le seul genre de sortie à laquelle je suis autorisée en ce moment !

18 h 18

Jeanne (en ligne): Est-ce que ton père est au courant, finalement?

18 h 18

Léa (en ligne): Je pense que ma mère s'est contentée de lui dire que je ne filais pas.

18 h 19

Katherine (en ligne): C'est cool de sa part!

18 h 20

Jeanne (en ligne): Il faut que je vous laisse! Mes parents m'attendent pour souper.

18 h 12

Katherine (en ligne): Moi aussi! À demain, les filles! *Luv!*

À : Léa_jaime@mail.com
De : Marilou33@mail.com
Date : Vendredi 20 novembre, 23 h 43
Objet : Un drame nommé Sarah Beaupré !

Coucou ! Il est tard, mais je ne pouvais pas me coucher sans te raconter les derniers développements concernant Sarah Beaupré. Comme je te l'ai dit au téléphone mardi soir, elle semblait se tenir tranquille depuis son party de fête, et Laurie agissait comme si je ne lui avais rien dit et que tout allait pour le mieux entre Jonathan et elle.

Mais cet après-midi, j'ai eu des doutes quand JP m'a dit que Thomas se joindrait à nous pour aller au cinéma puisqu'il avait le moral un peu à plat.

Moi (en marchant dans la rue) : Comment ça, il ne file pas ? As-tu finalement décidé de lui avouer que sa blonde rêvait de le tromper ?
JP : Non, car comme je te l'ai répété mille fois, je ne veux pas foutre le bordel dans leur couple sans avoir de preuve.
Moi : Tu es en train de me dire que ton meilleur ami est déprimé et que tu ne sais même pas pourquoi ?
JP (perplexe) : Euh, ouais.
Moi : C'est tellement triste.

JP (en haussant les épaules) : Je ne vais quand même pas le forcer à me confier ses sentiments. Mon travail, c'est juste d'être là pour lui quand ça ne va pas.

Et le mien, c'est de savoir si Sarah est en cause.

Quand on a finalement rejoint Thomas devant le cinéma, j'ai presque eu pitié de lui. Il semblait nerveux et cerné, et il regardait au loin avec un air nostalgique, perdu dans ses pensées.

JP (en lui donnant la main) : Salut, *man* !

Thomas a répondu par un signe de tête.

Thomas (en se tournant vers moi et en m'embrassant sur la joue) : Allo, Marilou. Désolée de m'immiscer dans votre sortie d'amoureux, mais JP a insisté.
Moi : Pas de trouble. Chéri, pourquoi tu n'irais pas acheter les billets ? Thomas et moi, on va t'attendre ici.

JP m'a regardée d'un air suspicieux, mais il a obéi.

Moi (d'un air innocent) : JP m'a dit que ça ne filait pas ? Ce n'est pas à cause de ton inscription au programme de mécanique automobile, j'espère ?
Thomas : Non. Je commence en janvier comme prévu.

Moi : Et le garage de ton oncle, ça roule ?
Thomas : Ouais. L'automne et l'hiver sont de grosses saisons pour nous.
Moi (en faisant semblant d'être intéressée) : Hum, j'imagine. C'est le moment où tout le monde change son *tuffer*.
Thomas : Tu parles du *muffler* ?
Moi : Oui, c'est ça. L'hiver n'est pas une saison facile pour les *tuffer*.
Thomas (en se grattant la tête) : En fait, c'est plus parce que les gens font inspecter leur voiture et qu'ils font changer leurs pneus...
Moi (en l'interrompant) : Hum, hum. Mais si ce n'est pas lié au domaine automobile, peux-tu me dire ce qui te déprime comme ça ?
Thomas (en haussant les épaules) : Je ne suis pas « déprimé ». Je suis juste un peu stressé par ma situation. J'ai l'impression que c'est ma responsabilité d'en faire plus pour que ça marche.
Moi (en posant une main sur son épaule) : Tu n'as rien à te reprocher, Thomas. Quand quelqu'un va voir ailleurs, ce n'est pas la faute de son partenaire. D'ailleurs, quand j'ai embrassé Félix Olivier, je n'ai jamais rejeté la faute sur JP. J'ai assumé mon geste et payé pour mon erreur. Heureusement, mon chum a été assez généreux pour m'offrir une deuxième chance, mais si tu veux mon avis, je ne crois pas que Sarah en mérite une.

Thomas m'a dévisagée comme si je venais de lui parler en lithuanien.

Thomas : De quoi tu parles ?
Moi : Euh, de Sarah. Toi, de quoi tu parles ?
Thomas : De ma mère qui a de la difficulté à joindre les deux bouts et du fait que je me sens coupable parce que je pourrais contribuer un peu plus.
Moi (en rougissant) : AH ! OK. Oh, c'est plate. C'est toujours stressant les histoires d'argent.
Thomas : Marilou ? Pourquoi tu parles comme si Sarah m'avait trompé ?
Moi (en ne sachant pas où me mettre) : Pour rien. Ah ! JP s'en vient !

J'ai couru vers lui pour créer diversion.

Moi (dans son oreille) : Aide-moi.
JP (en me regardant, incrédule) : Hein ?
Thomas (en nous faisant face) : Quelqu'un veut m'expliquer ce qui se passe ?
JP : J'aimerais bien, mais je pense que j'en ai raté un bout.
Thomas : Ta blonde a l'air de penser que je suis déprimé parce que Sarah m'a trompé. Ça sort d'où, ça ?
JP (en me regardant avec de gros yeux) : De nulle part. Ma blonde est folle.
Moi : Eille ! Je ne suis pas folle ! Je sais ce que j'ai vu.

JP : Marilou !
Moi : Non ! Je refuse de me taire. De toute façon, il est trop tard, parce que j'ai déjà trop parlé.
Thomas (en pognant les nerfs) : OK ! Je veux comprendre. Explique-toi.

Je lui ai résumé ce que j'avais vu et entendu samedi dernier.

JP (en essayant d'atténuer tout ça) : Tu vois bien qu'elle capote pour rien, *man*.
Thomas (en secouant la tête) : Ça expliquerait pourquoi Sarah est aussi bizarre depuis quelque temps.
JP : Les filles sont toujours bizarres.
Moi (en dévisageant JP) : C'est un beau commentaire constructif, ça !
JP : Quoi ? J'essaie juste de réparer ta gaffe.
Moi (en m'emportant à mon tour) : Ce n'est pas une gaffe. Thomas a le droit de savoir que sa blonde a de mauvaises intentions et qu'elle s'apprête à lui faire du mal.
JP (en me dévisageant d'un air sarcastique) : C'est vrai que c'est un domaine que tu connais bien.

J'ai reçu sa réplique comme une gifle au visage. Je ne nie pas que mes actions du printemps dernier sont déplorables, mais je croyais que JP et moi, on était vraiment passés à autre chose et que ce n'était plus un enjeu entre nous.

Moi (en hochant la tête, abasourdie) : Wow.
JP (en soupirant) : Lou, tu sais bien que mes paroles ont dépassé ma pensée. Tout ce que j'essaie de dire, c'est qu'on ne devrait pas condamner Sarah trop vite.
Thomas (en donnant une poignée de main à JP) : Ouais. Je pense que je ferais mieux d'avoir une conversation avec elle.
Moi : Maintenant ? Et le film ?
Thomas (en s'éloignant) : Je n'ai plus la tête à ça. À plus tard.

JP et moi l'avons regardé partir sans rien dire. Je savais qu'il était fâché contre moi pour m'être mêlée de ce qui ne me regardait pas, et il savait que j'étais blessée par son allusion à mon écart de conduite.

JP : Tu le sais qu'on va se chicaner, hein ?
Moi (en soupirant) : Yep.
JP : J'espère que tu es contente de ce que tu as accompli. Je sais que tu ne portes pas Sarah dans ton cœur, mais là, c'est Thomas qui en souffre.
Moi : Il aurait eu encore plus mal en l'apprenant après coup. Après tout, je sais très bien de quoi je parle. C'est mon domaine...

JP s'est avancé vers moi et a posé ses mains sur mes épaules.
JP : Je m'excuse. C'était con comme commentaire.

Moi : Très.
JP : Je sais.
Moi : Je ne suis vraiment pas fière de ce que j'ai fait le printemps dernier, mais je n'ai pas envie que tu me le remettes sur le nez chaque fois que tu n'es pas d'accord avec moi.
JP : Je ne le ferai plus. Je t'ai pardonné, Lou.
Moi : Promis ?
JP : Juré craché.

Je me suis mordu la lèvre avant de poursuivre.

Moi : J'avoue que ce n'était peut-être pas la meilleure façon d'apprendre à Thomas que sa blonde est louche. Surtout qu'il est déjà stressé à cause de sa mère.
JP (en clignant les yeux, surpris) : Es-tu... es-tu en train de me dire que tu piles sur ton orgueil pour admettre tes torts ?
Moi : OK. Pousse, mais pousse égal.

JP a éclaté de rire et m'a serrée contre lui.

Moi : *That's it ?* Nos chicanes se règlent en quatre minutes, maintenant ?
JP : On dirait. C'est la version 2.0 de notre couple ! Bienvenue dans le monde des adultes.
Moi : Relaxe, le vieux. Je suis encore mineure, moi !

On a finalement décidé de laisser tomber le cinéma et d'aller regarder un film chez moi. Mon père et Zak se sont joints à nous, et JP est parti vers 22 heures. Je m'apprêtais à me mettre au lit quand mon cellulaire a vibré, m'indiquant que j'avais reçu un texto. J'ai d'abord cru qu'il s'agissait de toi, mais j'ai vu qu'il provenait d'un numéro que je ne connaissais pas.

20-10 23 h 11

Tu a faite une grosse ereur en ouvrent ta boite.

Même si ce n'était pas signé, j'ai tout de suite su que ça provenait de Sarah. Qui d'autre peut écrire aussi mal ?

20-10 23 h 12

Tu n'avais qu'à pas t'attaquer au chum de mon amie.

20-10 23 h 13

Tu va regreter d'avoir parler.

20-10 23 h 13

Tes menaces ne me font pas peur, Sarah.

20-10 23 h 14

Tu devrait. Tu vient de me déclarer la guère !

20-10 23 h 14

Si tes attaques sont aussi boiteuses que ton français, je ne suis pas inquiète. Bonne nuit, là.

J'ai éteint mon téléphone d'une main tremblotante. J'étais fâchée de me faire intimider par texto, mais j'étais encore plus furieuse de me laisser atteindre par elle. Tu vas sûrement me suggérer d'en discuter avec JP, mais je n'ai pas envie de me faire dire que j'ai tenté le diable en parlant à Thomas. Heureusement que Sarah ne fréquente plus mon école ! Je peux au moins manger mon dîner sans avoir peur qu'il soit empoisonné ! ;)

Toi, comment ça va ? Survis-tu à ta fin de semaine à la maison ? As-tu invité les filles pour qu'elles te tiennent compagnie ? As-tu d'autres développements avec Alex ? Est-ce que Kath a parlé à Oli, finalement ?

Tu me dois un long courriel pour répondre à toutes mes questions !

Je t'aime !
Lou xox

Chapitre 4 : La vie romancée de Marilou Bernier

Le Blogue de Manu

Inscris un titre : Ma peine d'amour

Écris ton problème : Salut, Manu ! Après mon frère, voilà que c'est moi qui me ramasse avec un cœur brisé. Je t'explique : il y a environ un mois, j'ai réalisé que j'étais amoureuse d'Alex, mon meilleur ami, depuis assez longtemps déjà. Et pendant quelques jours, j'ai cru que c'était réciproque, mais il m'a finalement expliqué qu'il tenait trop à moi pour risquer de me perdre et qu'il préférait qu'on reste amis. Sur le coup, je n'ai pas su le contredire, mais je pense que ça n'aurait rien changé.

Le problème, c'est que j'arrive à peine à fonctionner depuis qu'il m'a dit ça. Je sais que je suis finissante et que je suis dans plein de comités, mais on dirait que même quand j'essaie de me changer les idées avec mes projets et mes amis, ça ne fonctionne pas. Je sens tout le temps cette pression dans ma poitrine, et chaque matin, je me réveille avec une boule dans le ventre et une envie de pleurer. Et même si ma peine d'amour avec Thomas, mon premier chum, m'a bien prouvé qu'on finit par s'en remettre, je n'arrive pas à voir la fin, cette fois-ci. Ça, c'est sans compter que je croise Alex tous les jours à l'école et que ça me brûle chaque fois que je le vois discuter avec ses amis ou rire sans moi. Évidemment, cette histoire nous a beaucoup éloignés, et j'ai l'impression que je dois non seulement faire le deuil de la relation amoureuse que j'espérais avoir avec lui, mais aussi de notre amitié.

As-tu des conseils pour m'aider à respirer un peu mieux et à ne pas gâcher le reste de mon année scolaire ?

Merci pour ton aide !
Léa xox

Manu répond à deux questions par semaine. Tu seras peut-être choisie...

À : Marilou33@mail.com
De : Léa_jaime@mail.com
Date : Dimanche 22 novembre, 20 h 43
Objet : Maude, Bibi et autres malheurs

Coucou ! Comme je n'ai officiellement plus de vie sociale, mes devoirs sont déjà faits et j'ai le temps de te résumer ma vie. Premièrement, comme tu as pu le voir dans le nombre d'appels Skype que je t'ai lancés depuis hier, je capote avec cette histoire de Sarah Beaupré. Je sais que tu es capable de la gérer, mais je te demande quand même d'être prudente. Elle est peut-être plus impulsive et folle qu'on ne le croyait !

Si ça peut te rassurer, je pense que tu as bien fait d'en parler à Thomas, même si ç'a dû lui tomber dessus comme une tonne de briques. D'ailleurs, si Sarah avait eu vent de ce qui s'était passé entre Félix et toi en avril dernier, elle ne se serait pas non plus gênée pour le dire à JP. Mais la différence, c'est qu'elle, elle l'aurait fait uniquement dans le but de te blesser.

Aussi, je suis extrêmement impressionnée par JP et toi. À côté de vous, je me sens comme une enfant immature avec mes problèmes de cœur et mes sorties de rebelle. Tu es en train de changer pour le mieux, Lou, et je tenais à te le dire. La *drama queen* en moi a beaucoup à apprendre de toi ! Merci de m'inspirer !

Ici, les choses s'annoncent plutôt bien pour Kath et Oli. Mercredi après l'école, ils sont allés se balader et elle lui a avoué qu'elle avait des sentiments pour lui depuis quelques mois déjà et qu'elle aimerait savoir s'il y avait de l'espoir, même si elle était bien consciente que sa rupture avec moi ne datait que de quelques semaines.

Elle m'a dit qu'il avait eu l'air un peu surpris par sa déclaration, mais aussi très flatté. Il lui a répondu qu'il avait encore besoin de temps et qu'il aimerait qu'elle soit patiente. Apparemment, il veut vraiment faire le ménage dans son cœur et dans sa tête avant d'aller plus loin. Il lui a suggéré qu'ils profitent des prochaines semaines pour apprendre à mieux se connaître et voir si ça pouvait éventuellement aller plus loin entre eux. Il lui a aussi dit qu'il tenait absolument à m'en parler pour s'assurer que j'étais OK avec la situation, même si elle lui a assuré que je leur avais déjà donné le feu vert. Bref, il a agi en parfait *gentleman*, comme d'habitude. Ce qui m'amène à me demander ce qui cloche avec moi. Je sortais avec un gars parfait, alors qu'est-ce qui m'a pris de le laisser ? Je sais : je n'ai pas su m'en amouracher. Si seulement on avait le contrôle sur ce qu'on ressent, je ne serais pas dans cet état-là en ce moment !

Ma semaine s'est d'ailleurs terminée sur une mauvaise note puisque j'ai eu droit à une rencontre au sommet avec Maude, suivie d'une autre avec Bibi.

Tout a commencé jeudi après l'école lorsque j'ai rejoint Annie-Claude dans une salle de classe. Elle m'avait donné rendez-vous pour qu'on énumère les choses qui restent à faire avant les fêtes et répartir les tâches entre les membres du comité du bal. Quand je suis arrivée, j'ai sursauté en apercevant Maude assise à ses côtés.

Moi (en grimaçant) : Je croyais que je te rencontrais seule, Annie-Claude.
Annie-Claude : Je préférais vous avoir toutes les deux pour m'aider à choisir le menu...
Maude : L'avis de Léna ne compte pas. Avec ses racines de fermière, elle va essayer de nous convaincre de commander du foin et des sandwichs pas de croûte.
Moi (d'un ton sarcastique) : Et tu proposes quoi, madame la princesse ? Des huîtres et du caviar ?

Annie-Claude nous a regardées d'un air découragé.

Annie-Claude (en fermant son cartable) : Laissons tomber le menu pour l'instant. Je préfère qu'on se concentre sur ce qui se passe ici.

Maude : Tu parles de l'odeur d'oignon ? Je pense que ça provient des aisselles de Lisa.

J'ai roulé les yeux et Annie-Claude a soupiré.

Annie-Claude : Les filles, vous ruinez complètement la synergie du groupe, et il faut trouver une solution pour remédier à ça.
Maude (en me pointant du doigt) : Facile ! Tu n'as qu'à retirer la pomme pourrie et tout va être réglé, incluant le parfum de légume.
Moi : Je crois plutôt que tu devrais te débarrasser de celle qui a des goûts trop dispendieux et qui fait courir de fausses rumeurs juste pour se rendre intéressante.
Maude (du tac au tac) : Ou plutôt de la *wannabe* qui fréquente les partys de cégep pour se penser cool, mais qui finit par vomir sur le plancher des toilettes.
Annie-Claude (en haussant le ton) : Les filles, ça suffit ! Les autres membres et moi en avons assez de vos disputes. Ce n'est pas agréable de travailler dans une atmosphère aussi tendue. Le but de tout ça, c'est d'organiser le bal de nos rêves, et je ne sais pas si on pourra atteindre cet objectif en vous gardant toutes les deux dans le comité.
Moi (en écarquillant les yeux) : Je ne veux pas lâcher, Annie-Claude. Le comité du bal était mon premier choix, contrairement à Maude qui s'est jointe à nous simplement parce qu'ils n'ont pas voulu d'elle dans le défilé de mode.

Maude : Je pense qu'Annie-Claude est assez intelligente pour savoir qu'on avancerait beaucoup plus vite si on écartait ton cerveau de pépin de l'opération.
Annie-Claude (d'un ton ferme) : Ce que je veux, c'est que vous arriviez à mettre vos différends de côté pendant nos réunions. Et sachez que si ça ne change pas, vous devrez *toutes les deux* quitter le comité. Est-ce que c'est clair ?
Moi (en baissant les yeux) : Oui.
Maude (en souriant d'un air mesquin) : Aucun problème. Je n'aurai qu'à garder mes commentaires pour l'album de finissants. Je pourrai les accompagner de ce beau moment de pois vert que j'ai capté l'autre soir.

Elle a brandi son cellulaire sous mes yeux et j'ai aperçu une photo de moi qu'elle avait prise chez Zack juste après son attaque à la sortie des toilettes. Comme je venais de vomir ma vie, j'avais encore les yeux hagards et le teint verdâtre. On voyait aussi Katherine qui se tenait derrière moi et me frottait le dos.

Moi : Tu n'as pas de vie, Maude ! Tu ferais mieux de garder tes yeux sur ton chum. D'ailleurs, il était où, ce soir-là ? Avec Bibi, j'imagine ?
Maude (en plissant les yeux) : Non. Elle était déjà occupée à *frencher* celui qui ne veut pas de toi.

Moi (en plissant les yeux) : Annie-Claude, vois-tu à quoi je suis confrontée ? Je suis prête à faire un effort, mais il y a quand même des limites à devoir supporter un bourreau...

J'ai regardé autour de moi, mais Annie-Claude était sortie du local sans même qu'on s'en aperçoive.

Moi (en soupirant) : Je n'ai vraiment pas envie de quitter le comité. Je pense que c'est toi qui devrais démissionner.
Maude : Pas question ! J'aime trop ça.
Moi : Pff ! Je sais très bien que l'organisation du bal est loin d'être ton premier choix !
Maude : J'en ai quand même besoin pour mousser mes demandes pour le cégep.
Moi : Moi aussi !
Maude : Toi, tu peux t'en passer. Tu fais déjà partie du journal.
Moi : Pis, ça ? Tu sais comme moi que tout ce qu'on fait cette année va aussi compter pour l'université. Et je ne vais certainement pas risquer mon avenir pour te faire plaisir !
Maude : Ce n'est pas *un* comité qui va t'empêcher de vivre ! Surtout que tu peux parler de ton implication dans le défilé de mode.
Moi : Je n'appellerais pas ça une « implication ». Bianca m'utilise parce que personne d'autre n'entre dans son maudit une-pièce. Je ne vais certainement pas me servir de cette expérience humiliante pour vanter mes mérites !

Maude (en souriant d'un air satisfait) : Merci pour l'info, tête de noix ! Moi qui pensais boycotter le défilé… Là, il n'est pas question que je rate ça !
Moi (en serrant les poings) : Tu m'énerves.
Maude (en s'admirant les ongles) : Toi aussi, mais je me console en me disant que dans quelques mois, je n'aurai plus à voir ta face de radis tous les matins.
Moi (en m'efforçant de retrouver mon calme) : Ce n'est pas en m'insultant qu'on va trouver une solution.
Maude : La solution, c'est que tu concentres tes petites cellules cérébrales sur tes autres projets, comme ton défilé de naines et ton voyage de rejets.
Moi (surprise) : Es-tu en train de me dire que tu n'iras pas France ?
Maude (en se contemplant les ongles) : *Nope*.

J'étais très étonnée. Je pensais que la nunuche en chef serait la première à s'inscrire au voyage.

Moi : Pourquoi ?
Maude (en bâillant) : Parce j'ai déjà visité Paris, genre, trois fois, et que je n'ai pas besoin d'y retourner avec des *losers* comme vous. À la place, j'ai *booké* une séance de photos à New York. C'est le genre d'expérience qui me permettra réellement d'avancer dans la vie.

Moi (sarcastique) : Tu vois bien que tu n'as pas besoin d'un petit comité scolaire pour atteindre tes rêves et devenir la nouvelle Cara Delevingne.
Maude (en posant sa main sur la table et en m'affrontant du regard) : Écoute-moi bien, *Léna*. Même si je refuse de participer au défilé, parce que contrairement à toi, je ne veux pas m'abaisser à recevoir des ordres de Bianconne, il est hors de question que je te cède ma place ici.
Moi : Alors il va falloir trouver une façon de coexister.
Maude (en se limant les ongles) : On n'a qu'à dire à Annie-Dinde qu'on a discuté, qu'on a réglé nos « différends » et que je me suis même habituée à ton odeur de crème sure.
Moi (en me relevant pour partir) : *Deal*. J'espère que cette trêve te permettra de revoir tes insultes, parce que je pense que tu as fait le tour du registre alimentaire.
Maude (en riant et en pianotant sur son iPhone) : Euh, je n'ai jamais parlé de trêve, chose. J'ai juste dit que je ferais l'hypocrite devant Annie-Dindon.
Moi (en roulant les yeux) : C'était trop beau pour être vrai. *Bye*, Maude.

Je suis sortie du local et j'ai fermé les yeux. En deux ans, j'ai appris à endurer Maude, à esquiver ses attaques et à prendre ses accès de folie avec un grain de sel, mais on dirait que depuis l'histoire avec Alex, je me sens plus vulnérable.

Je suis passée à mon casier pour récupérer mes livres et mon manteau avant de rentrer à la maison, et Bianca est alors apparue près de moi.

Bianca (en souriant) : Salut, Léa !
Moi (un peu bête) : Allo.
Bianca : Ça ne va pas ?
Moi : Moyen.
Bianca : Je te comprends. Ce n'est pas super cool de la part de Maude de publier ça sur Facebook.
Moi : Hein ? De quoi tu parles ?

J'ai sorti mon cellulaire et consulté mon fil d'actualité.

Maude Ménard-Bérubé a publié une photo.

Et sous son superbe cliché de moi au teint verdâtre apparaissait la légende suivante : *Mon secondaire 5 ne serait pas le même sans mon amie* ***Léa Olivier*** *qui s'humilie en public. Merci à* ***Annie-Claude*** *de nous avoir forcées à enterrer la hache de guerre et à rire de nos moments de complicité* ! #BFF *#LénaQuiVomit #LesAmieSontFaitesPourSoulignerLesMomentsPrécieux*

Moi : Elle est incroyable ! Non seulement elle m'humilie sur les réseaux sociaux, mais elle s'arrange pour faire passer

ça pour une *inside joke* pour que Annie-Claude avale son histoire. Je capote !
Bianca (en faisant une moue empathique) : Ouais. Alex m'a raconté des trucs à propos de Maude... Elle n'est vraiment pas honnête comme fille. C'est pour ça que j'essaie de me tenir loin d'elle.
Moi (en enfilant mon manteau tout en prenant soin d'avoir l'air nonchalante) : C'est cool qu'Alex t'ait mise en garde. Vous semblez de plus en plus proches, vous deux !
Bianca (en me souriant d'un air faussement compatissant) : Tu peux me dire le vrai fond de ta pensée, Léa. Je ne vais pas te trahir comme Maude.
Moi (un peu trop enthousiaste) : Je n'ai rien à dire ! Je suis contente que vous soyez devenus inséparables.
Bianca (en souriant) : Cool ! Ça me fait plaisir d'entendre ça.

Pourquoi ? Parce que tu l'aimes passionnément et que tu souhaites sortir avec lui ?

Bianca (en poursuivant sur sa lancée) : Et je suis aussi super contente qu'on puisse travailler ensemble sur le défilé. Ça va nous permettre de mieux nous connaître.
Moi : Parlant de ça, est-ce que les autres numéros avancent bien ?

Bianca : Oui. Ton amie Katherine est tellement travaillante ! Elle y met tout son cœur ! Je commence à croire que l'amour lui donne des ailes !
Moi : Pourquoi tu dis ça ?
Bianca : À cause d'Olivier, c't'affaire ! Elle est folle de lui !
Moi (abasourdie) : Je... Katherine t'a parlé de lui ?
Bianca : Ouais. On passe tellement de temps ensemble qu'on a commencé à se confier l'une à l'autre. Comme j'ai l'habitude de me tenir qu'avec des gars, je t'avoue que ça fait du bien de m'être fait une bonne amie qui me comprend complètement !

Je n'ai pu m'empêcher de sentir une pointe de jalousie. Je sais que c'est niaiseux, mais ça m'énerve que madame Parfaite-que-tout-le-monde-aime-et-qui-a-tous-les-talents-de-l'univers se rapproche autant de Kath. Comme si ce n'était pas assez qu'elle me vole Alex !

Bianca : Avant que tu te sauves, je voulais en profiter pour t'inviter à une petite fête que j'organise chez moi samedi prochain pour mon anniversaire. Mes parents seront en voyage, alors on aura toute la maison pour nous !
Moi : Oh ! Merci ! J'essaierai de venir faire un tour !

Alors que je me dirigeais vers la maison, je n'avais qu'une seule idée en tête : trouver une façon de convaincre mes parents de me laisser assister à ce party. C'était une occasion en or pour surveiller Alex et Bibi de plus près et savoir si Maude avait raison de propager la rumeur.

Je t'entends déjà me dire que je ne devrais pas entrer dans le jeu et que je ferais mieux de prendre mes distances et de me concentrer sur mon bien-être, mais je n'arrive pas à me sentir zen quand je pense à Bianca collée contre Alex. Et comme tu as traversé une phase de paranoïa aiguë l'été dernier, je me dis que tu es très bien placée pour me comprendre ! ;)

C'est finalement hier soir, alors que ma mère s'affairait dans la cuisine, que j'ai pu aborder le sujet avec mon père.

Moi (en mettant la table pour le souper) : Papaaaaa ?
Mon père : Oui ?
Moi : Est-ce que tu crois que mon isolement social va durer encore longtemps ?
Mon père (en haussant les épaules) : Je ne me mêle pas de ça !
Moi : Ben là ! Tu as le droit à ton opinion, quand même !
Mon père : Non, car je ne connais même pas la raison exacte qui a poussé ta mère à te priver de sortie. Tout ce que je sais, c'est que tu lui as manqué de respect. Et ça, ma fille, c'est suffisant pour que je soutienne sa décision.

Moi (en soupirant) : Je sais qu'elle m'en veut, mais je me suis excusée mille fois et je suis vraiment sage et studieuse depuis que c'est arrivé.
Mon père (en me souriant) : Si tu veux négocier, va voir ta mère. Moi, je ne peux rien faire pour toi.

J'ai poussé un soupir et j'ai rassemblé mon courage pour la rejoindre dans la cuisine.

Moi : Miam ! Ça sent bon !
Ma mère (en ajoutant du poivre dans un chaudron) : Je t'avoue que je suis particulièrement fière de ma sauce à spaghetti.
Moi (en baissant le ton) : Merci de ne pas m'avoir dénoncée à papa.
Ma mère (en jetant un regard furtif vers la porte) : C'est la dernière fois que je fais ça, Léa. Je déteste cacher des choses à ton père. Mais j'ai jugé que c'était mieux de l'épargner, cette fois-ci.
Moi (en baissant les yeux) : Je comprends. Et je m'excuse encore pour tout.
Ma mère : C'est correct. L'important, c'est que tu sortes grandie de tout ça.
Moi : Pour ça, tu n'as pas à en douter ! Je suis devenue une géante, maman !

Elle m'a souri.

Moi : Je me demandais d'ailleurs jusqu'à quand tu comptais m'interdire de sortir.
Ma mère (en goûtant sa sauce pour la deuxième fois avant d'y ajouter d'autres épices) : Jusqu'à ce que je juge que tu es dans la bonne voie.
Moi : Ben là ! Je suis hyper concentrée à l'école, j'ai de bonnes notes, même en anglais, et mes séances de tutorat avec Mégane commencent dans deux semaines ! Tu ne peux pas avoir plus motivée que ça !

Ma mère m'a regardée d'un air suspicieux.

Ma mère : Qu'est-ce que tu veux, Léa ?
Moi (en joignant mes mains pour la supplier) : Obtenir la permission d'assister à la fête d'une amie, samedi prochain ?
Ma mère (en retournant à sa sauce) : Non.
Moi : Mais maman ! C'est super important que j'y aille !
Ma mère : Pourquoi ?
Moi : Parce que j'aime beaucoup cette amie.
Ma mère : C'est Jeanne ?
Moi : Non.
Ma mère : Katherine ?
Moi : Non plus.
Ma mère : C'est qui, alors ?
Moi : Bianca.

Ma mère (en souriant) : Tu veux dire la nouvelle élève qui « te pompe l'air avec ses multiples talents » ? Je ne savais pas qu'elle était soudainement devenue ta meilleure amie.
Moi : Ce n'est pas ma *best*, mais depuis que je travaille avec elle pour le défilé, on est devenues pas mal plus proches.
Félix (en se pointant derrière moi) : Tu veux dire depuis qu'elle te force à porter ton beau maillot de tigresse à trois pattes ?
Moi (en le fusillant du regard) : Elle m'a fait comprendre qu'il me met en valeur, tu sauras.
Ma mère (en se retournant vers moi) : Désolée, Léa, mais c'est non.
Moi : Mais maman, tu ne comprends pas. Il FAUT ABSOLUMENT que j'assiste à ce party.
Félix : C'est toi qui as un problème d'oreilles. Ça fait dix fois qu'elle te dit non.
Moi : Mêle-toi donc de tes affaires, toi !
Ma mère (en soupirant) : Félix, ta sœur a raison. C'est entre elle et moi.

J'ai envoyé un petit sourire satisfait à mon frère.

Ma mère : Ceci étant dit, je crois avoir été très claire, Léa. Tu ne peux pas aller à la fête. Un point c'est tout.

J'ai soupiré et je me suis laissée tomber sur un tabouret.

Félix : Relaxe, la sœur. Il va y avoir d'autres partys. Et d'ici là, tu auras appris à boire avec modération.
Moi : Je ne t'ai pas demandé ton avis !
Ma mère : Non, mais il a raison. La Terre n'arrête pas de tourner parce que tu rates une fête. Et tant mieux si tu retires une leçon de tout ça.

Je me suis retenue de reprendre ma tirade et mes supplications, car je voyais bien que ma mère ne changerait pas d'idée.

Je suis donc montée dans ma chambre en boudant sa sauce à spaghetti (même si ça sentait vraiment bon) dans l'espoir qu'une grève temporaire de la faim lui fasse changer son fusil d'épaule, mais sans succès.

Aujourd'hui, j'ai passé la journée à faire mes devoirs, et quand j'ai finalement ouvert Instagram pour consulter les dernières nouvelles, j'ai aperçu un *selfie* d'Alex et Bianca qui venaient de courir cinq kilomètres et qui souriaient à pleines dents.

J'ai refermé l'écran-rabat de mon ordinateur d'un coup sec et j'ai soupiré. Leur « amitié » me rend folle, Lou. J'ai beau essayer de me répéter qu'il vaut mieux le bloquer de mon esprit et passer à autre chose, on dirait que mon cerveau est victime d'un court-circuit quand il est question d'Alex et qu'il m'encourage à me torturer en s'imaginant des scénarios d'horreur !

Tu es la voix de ma raison et tu me manques ! D'ailleurs, n'oublie pas de parler à tes parents pour les vacances de Noël ! Explique-leur que c'est impératif pour moi de célébrer la nouvelle année avec la seule personne au monde qui me permet de ne pas sauter ma coche !

Je t'aime ! Donne-moi des nouvelles bientôt !

Léa xox

24-11 19 h 46

Salut, Léa ! Ça va ?

24-11 19 h 47

Allo, Oli ! Pas pire. Toi ?

24-11 19 h 48

Ouais. À part que j'ai un exam de maths demain et que je ne comprends à peu près rien.

24-11 19 h 49

On l'a fait aujourd'hui et j'ai survécu. Concentre-toi surtout sur les chapitres 5 et 6.

24-11 19 h 49

J'aimerais bien, mais j'ai peur que la prof nous donne une autre version que la vôtre.

24-11 19 h 49

Moi, je suis sûre que ce sera la même. C'est moins compliqué pour elle à corriger.

24-11 19 h 50

Et si tu te trompes ?

24-11 19 h 50

Alors tu pourras me blâmer pour ton échec scolaire !

24-11 19 h 51

Bonne idée ! Mes parents t'adorent tellement qu'ils auront plus de facilité à me pardonner si je rejette la faute sur toi !

24-11 19 h 52

Ils m'aiment même si je les ai insultés sans le vouloir ?

24-11 19 h 52

Ouais. Ils ont vite compris que la maladresse faisait partie de ton charme. ;)

24-11 19 h 53

Eille !

24-11 19 h 53

Je te niaise !

24-11 19 h 54

Mais mon petit doigt me dit que tu ne m'écris pas juste pour discuter de tes parents et de tes maths ? ;)

24-11 19 h 55

On ne peut rien te cacher... En fait, je voulais t'appeler pour te parler de Katherine, mais je suis lâche et je trouve ça plus facile de le faire par texto.

24-11 19 h 55

C'est correct !

24-11 19 h 56

Elle m'a dit que tu savais qu'elle m'avait avoué ses sentiments ?

24-11 19 h 56

Ouais.

24-11 19 h 56

Et elle m'a aussi répété mille fois que tu étais OK avec ça, mais je voulais t'en parler de vive voix.

24-11 19 h 57

Ou plutôt de vifs doigts ?

24-11 19 h 57

Ha ! Ha ! Exact !

24-11 19 h 58

Comme je lui disais, tu n'as pas à t'en faire pour moi. Je suis contente pour vous. Je sais à quel point tu es un gars extraordinaire, et je vous souhaite du bonheur à tous les deux.

24-11 19 h 59

On dirait un discours de politicien.

24-11 19 h 59

Pourtant, c'est bel et bien moi qui t'écris.

24-11 20 h 00

Donc ça ne te fait pas un pli que l'une de tes meilleures amies sorte avec le gars que tu fréquentais il y a à peine deux mois ?

24-11 20 h 01

Je ne dis pas que ça ne m'a pas fait un choc quand je l'ai su, mais maintenant que j'ai eu le temps de digérer la nouvelle, je suis contente pour vous.

24-11 20 h 01

Je ne devrais peut-être pas te dire ça, mais je t'avoue que je trouve ta réaction un peu blessante.

24-11 20 h 02

Je ne comprends pas. Tu aurais préféré que je pique une crise de jalousie et que je t'empêche de fréquenter une fille que j'adore et que je respecte, même si c'est moi qui ai cassé avec toi?

24-11 20 h 03

Non, mais j'aurais aimé sentir que les six mois qu'on a passés ensemble ont un peu compté pour toi. Là, j'ai juste l'impression de t'avoir servi de tremplin pour Alex.

24-11 20 h 03

Hein? De quoi tu parles?

24-11 20 h 04

Tout le monde sait que vous vous êtes embrassés, Léa.

24-11 20 h 04

Alors tu dois aussi savoir qu'il ne s'est rien passé après ça.

24-11 20 h 05

Non. Je t'avoue que je n'ai pas cherché à en savoir plus.

24-11 20 h 06

Oli, je te jure que mon histoire avec Alex n'a rien à voir avec nous deux.

24-11 20 h 07

Je ne te crois pas.

24-11 20 h 07

Pourquoi ?

24-11 20 h 08

Parce que quand j'ai appris pour votre baiser, j'ai allumé. J'ai compris que tu étais probablement en amour avec lui depuis le début et que c'est sûrement pour ça que tu avais cassé avec moi.

24-11 20 h 09

Ce n'est pas aussi simple...

24-11 20 h 09

Ah non? Tu vas me faire croire que tu n'éprouves rien pour lui, et que quand tu as appris que Kath avait des sentiments pour moi, tu n'as pas été un peu soulagée de m'imaginer avec elle parce que ça te faisait sentir moins coupable de t'imaginer avec lui?

24-11 20 h 11

Léa? T'es là?

24-11 20 h 11

Oui, mais je ne sais pas quoi dire. J'ai honte, Oli.

24-11 20 h 12

Honte de quoi?

24-11 20 h 13

De ne pas m'être ouvert les yeux plus tôt. Quand on était ensemble, je te jure que je ne savais pas que j'éprouvais quelque chose pour Alex. Sinon, je te l'aurais dit. Avec le recul, je réalise que c'est peut-être ça qui m'a empêchée de tomber follement amoureuse de toi, mais je te jure que ce n'était pas conscient.

24-11 20 h 14

Tu as bien des défauts, mais je sais que tu n'aurais pas fait ça.

24-11 20 h 15

Je tiens aussi à ce que tu saches que je n'ai pas cassé de gaieté de cœur. J'aurais vraiment préféré que ça clique de mon côté, que je puisse appuyer sur un bouton magique me permettant de t'ouvrir mon cœur complètement. Tu es le gars le plus *sweet* que je connaisse, Oli, et une partie de moi se trouve très niaiseuse d'être passée à côté du bonheur avec toi.

24-11 20 h 16

Ouais, mais les boutons magiques n'existent pas, et comme je te l'ai déjà dit, tu ne peux pas te forcer à m'aimer.

24-11 20 h 17

Je le sais. Mais je peux au moins t'encourager à sortir avec une fille extraordinaire comme Kath. Et je ne dis pas ça pour me libérer d'un poids ou pour me sentir moins coupable ; je le dis parce que je le pense, et parce que tu mérites d'avoir une blonde comme elle.

24-11 20 h 17

C'est gentil.

24-11 20 h 18

Est-ce que je peux te poser une question indiscrète, maintenant ?

24-11 20 h 18

Vas-y.

24-11 20 h 18

Est-ce que tu éprouves quelque chose pour elle ?

24-11 20 h 19

Je ne peux pas ressentir quelque chose pour elle alors que je digère encore ma dernière peine d'amour.

24-11 20 h 19

Je suis désolée, Oli. Si seulement je pouvais faire quelque chose...

24-11 20 h 20

Tu appuierais sur un autre bouton magique pour que tout s'arrange ? Genre que je t'oublie complètement et que je tombe amoureux d'elle ?

24-11 20 h 20

Bingo.

24-11 20 h 21

Ce n'est pas impossible que ça se produise. J'ai juste besoin de temps.

24-11 20 h 21

Je vous le souhaite, en tout cas.

24-11 20 h 22

Moi aussi, je te le souhaite.

24-11 20 h 22

Quoi, ça ?

24-11 20 h 23

D'avancer. Que ce soit seule ou avec Alex.

24-11 20 h 23

Merci, Oli, mais je ne mérite pas ça.

24-11 20 h 24

Ben oui, voyons ! Ce n'est pas parce que tu m'as brisé le cœur que tu ne mérites pas d'être heureuse.

24-11 20 h 24

Sais-tu ce qui me rendrait *vraiment* heureuse ?

24-11 20 h 25

De voir Maude tomber dans des toilettes ?

24-11 20 h 25

Ha ! Ha ! Mets-en ! Mais en plus de ça, ce serait de pouvoir être ton amie. Parce que tu me manques, Oli.

24-11 20 h 26

Ouais, toi aussi, tu me manques.

24-11 20 h 26

Mais je veux respecter ton espace. Alors c'est à toi de me faire signe quand tu te sentiras prêt.

24-11 20 h 27

Je pense que je le suis.

24-11 20 h 27

Pour vrai ?

24-11 20 h 28

Ouais. Je crois même que ça m'aiderait à décrocher si je te voyais gaffer au quotidien plutôt que de te mettre sur un piédestal.

24-11 20 h 28

Ha ! Alors je ferai mon possible pour être ridicule.

24-11 20 h 29

Deal ! Sur ce, je retourne à mes maths ! J'ai rendez-vous avec Kath sur Skype pour qu'elle m'explique des numéros.

24-11 20 h 29

OK. Est-ce que je peux te demander une première faveur d'amie ?

24-11 20 h 30

Oui.

24-11 20 h 30

Ce que je t'ai dit à propos d'Alex... Peux-tu garder ça pour toi ?

24-11 20 h 30

Évidemment.

24-11 20 h 31

Merciiiiiii ! (Ça, c'est Léa ta nouvelle amie qui te parle avec sa voix gossante.)

24-11 20 h 31

Ziiiiiip ! (Ça, c'est ton nouvel ami Oli qui part en courant pour fuir ton cri.)

24-11 20 h 31

Ha ! Ha ! Bonne chance pour tes maths ! Xx

24-11 20 h 32

Merci ! À demain ! xx

À : Léa_jaime@mail.com
De : Marilou33@mail.com
Date : Jeudi 26 novembre, 21 h 45
Objet : Je m'en viens !

Salut !
Je sais qu'on s'est parlé hier, mais je devais te faire part des derniers développements dans ma vie.

Premièrement, j'ai parlé à mes parents et même s'ils sont tristes de ne pas célébrer l'arrivée de la nouvelle année avec moi, ils comprennent que j'aie envie de profiter des vacances pour te voir ! Mon père m'a confirmé la nouvelle ce matin pendant le petit-déjeuner, et quand je suis arrivée à l'école, je jubilais !

Laurie : Coudonc, tu as donc bien l'air énervée !
Moi : Mets-en ! Je viens d'apprendre que je vais à Montréal pendant les vacances des fêtes. J'ai tellement hâte de voir Léa, de célébrer le 31 là-bas et de magasiner dans des boutiques qui ont de l'allure !
Steph : Chanceuse ! Moi, mes vacances s'annoncent plates à mort.
Laurie (en la prenant par le cou) : Plus maintenant, puisque je t'invite au party chez Sarah le 31.
Moi : Euh, on parle bien de Sarah Beaupré ?
Laurie : Oui.

Moi : Genre la fille qui *cruise* ton chum sans scrupule ? Tu veux vraiment assister à son party ?
Laurie (en soupirant) : Lou, je t'ai déjà dit de lâcher le morceau. Je me fous de Sarah et de ce qu'elle fait. Tant pis pour elle et pour Thomas, s'il est cocu. L'important, c'est que je fasse confiance à Jo. OK ?
Moi (en baissant les yeux) : OK. Je m'excuse. Je ne voulais pas te brusquer.
Laurie (en souriant) : C'est correct. Je sais que tu ne peux pas t'empêcher de te mêler de nos affaires. C'est ta façon gossante de nous protéger. Je trouve ça *cute*, mais ce n'est pas nécessaire. Tout va bien de mon côté.
Steph : C'est bien beau tout ça, mais je n'ai pas envie d'aller chez Sarah et de passer mon Nouvel An avec mon ex et ses amis.
Laurie : C'est quand même moins déprimant que de rester toute seule chez toi !
Steph : C'est encore drôle...
Laurie (en la regardant d'un air inquiet) : Qu'est-ce qui se passe, coudonc ?
Steph (en soupirant) : Rien ! C'est ça, le problème ! Je suis finissante et je suis censée vivre des moments inoubliables, mais c'est le néant dans ma vie. Pas un gars à l'horizon. *Niet*. Disons que je vous trouve chanceuses avec vos chums.
Laurie : On peut essayer de te trouver...
Steph (en l'interrompant) : Inutile de finir ta phrase ! Je connais déjà tous les gars des environs et il n'y a

personne qui m'intéresse. J'ai juste hâte de partir d'ici. En ville, le choix va être pas mal plus intéressant.
Moi (en souriant) : Donc, c'est décidé ? Tu vas aussi faire une demande à Québec ?
Steph : Yep ! Ce serait tellement cool de se retrouver toutes les trois là-bas !
Moi : Mets-en !
Laurie : *Shotgun !*
Moi : Hein ? *Shotgun* quoi ?
Laurie : C'est moi qui ai la priorité sur la plus grande chambre de notre futur appart !

J'ai éclaté de rire et on s'est dirigées vers la classe de maths.

Après les cours, j'ai rejoint JP qui m'attendait devant l'école. Quand je lui ai annoncé que je passerais quelques jours à Montréal, j'ai vu son visage s'assombrir.

Moi (en lui donnant un coup de coude) : Eille ! T'es censé être heureux pour moi.
JP : Je le suis.
Moi : Menteur ! Je vois bien que tu es déprimé. Ce n'est pas à cause de Félix, j'espère ?
JP : Non. En fait, j'ai appris que mes parents s'en allaient au Mexique pendant une semaine juste avant le jour de

l'An, et je t'avoue que j'étais pas mal énervé à l'idée de pouvoir passer du temps seul avec toi.
Moi (en le serrant contre moi) : Oh ! Désolé, chéri. Mais je suis sûre que si tu demandes à Thomas, il acceptera de venir te faire la cuillère !
JP : Niaiseuse !
Moi : Tu me pardonnes ?
JP : Seulement si tu me promets de t'ennuyer de moi.
Moi : Mon cœur saigne déjà. Toi aussi, tu dois me promettre quelque chose...
JP : Quoi ?
Moi : Que tu vas te tenir tranquille au party de Sarah et que si jamais elle essaie de te *cruiser*, tu la rejettes et tu l'écrases comme une araignée.
JP (en riant) : Tu capotes ! Elle sait très bien que Thomas est mon meilleur ami.
Moi : Je ne pense pas que ça l'arrêterait. D'ailleurs, sais-tu s'il y a des développements entre eux ?
JP (en haussant les épaules) : Thomas m'a juste dit qu'il lui avait fait face et qu'elle l'avait rassuré. Apparemment, elle avait trop bu ce soir-là et ne se rappelle pas de grand-chose.

Pff ! Si c'était le cas, elle ne m'aurait pas envoyé de menaces par texto !

Comme elle ne m'a pas relancée depuis vendredi dernier, j'ai préféré garder ma remarque pour moi. J'ai accompagné JP chez sa mère, puis je suis rentrée chez moi pour finir ma recherche de français.

J'ai tellement hâte aux vacances ! Promets-moi qu'on va aller manger de la poutine à La Banquise et qu'on ira magasiner au centre-ville. Pour ce qui est du 31, je compte sur ta personnalité rebelle pour nous dénicher un party qui a de l'allure ! ;)

Parlant de ça, je sais que tu capotes à propos de Bibi et Alex, mais je me dois de te rappeler à l'ordre : la situation est déjà délicate avec tes parents, alors ne cède pas à la folie et oublie cette histoire !

En plus, je ne vois pas ce que ça te donnerait d'assister au party de Bianca et de passer la soirée à surveiller Alex. Je sais que je suis aussi tombée dans les bas-fonds du délire et de la paranoïa au cours de l'été, mais si tu te souviens bien, tu as été la première à me demander de me ressaisir. Bref, écoute ta meilleure amie et sois sage, OK ?

Donne-moi des nouvelles !
Lou xox

À : Marilou33@mail.com
De : Léa_jaime@mail.com
Date : Dimanche 29 novembre, 16 h 45
Objet : J'aurais dû t'écouter...

Allo, Lou.
Je t'écris de l'ordinateur de ma mère parce que j'ai l'interdiction de me servir du mien ainsi que de mon cellulaire jusqu'à nouvel ordre. Ça, c'est sans compter que je suis privée de sortie jusqu'en 2087 (j'exagère à peine).

Tu devineras que ma soirée d'hier a tourné au vinaigre et que j'aurais dû t'écouter. Après tout, tu as (presque) toujours raison.

Le pire, c'est que quand j'ai lu ton courriel, j'ai réalisé que je m'emportais un peu (beaucoup) avec mon histoire de party et que je n'avais pas besoin d'y assister pour savoir ce qui s'y tramait ; je n'avais qu'à demander à mes amies-espionnes de me faire un compte rendu détaillé en direct.

Comme Jeanne avait un empêchement, j'ai demandé à Katherine de monter la garde pour moi et de me signaler tout comportement louche par texto.

J'étais en train de regarder un épisode du *Chalet* quand mon téléphone a vibré.

28-11 20 h 40

Toujours rien à signaler à part qu'Alex m'a demandé si tu venais ce soir... #cute Kath xox

28-11 20 h 41

Peut-être qu'il te demande ça parce qu'il veut savoir s'il a le champ libre pour embrasser Bibi ?

28-11 20 h 42

Ça m'étonnerait. Il jase avec ses amis de hockey et Bianca danse avec José (quand Maude n'est pas là, les souris dansent).

J'ai poussé un soupir et j'ai essayé de me concentrer sur autre chose. Environ vingt minutes plus tard, j'ai reçu un autre message texte de sa part.

28-11 21 h 19

Re-Salut. Bianca parle avec Alex sur le sofa. Ça semble intense. Elle a les yeux pleins d'eau.

28-11 21 h 20

Es-tu capable de savoir de quoi ils parlent ? Est-ce qu'il est triste aussi ?

28-11 21 h 21

Non, mais il la console. Il a un bras autour de ses épaules.

28-11 21 h 21

Elle m'énerve tellement ! Je suis sûre qu'elle s'invente des drames pour se rapprocher de lui !

28-11 21 h 22

Je pense que tu la confonds avec Maude ! Bianca n'est pas aussi diabolique, Léa.

28-11 21 h 23

À mes yeux, elle est en train de le devenir ! Qu'est-ce qu'ils font, là ?

28-11 21 h 24

Ils sont partis jaser dans une autre pièce.

28-11 21 h 24

Comment ça ? Où ça ? Peux-tu les suivre ?!?

28-11 21 h 25

Kath ? T'es là ? Qu'est-ce qui se passe ?

28-11 21 h 28

KATH ? POURQUOI TU NE ME RÉPONDS PAS ? JE CAPOOOOOOOOTE !

28-11 21 h 31

Je suis là, mais Oli est venu s'installer à côté de moi et je voulais en profiter pour jaser un peu avec lui. J'ai prétexté une envie de pipi pour voir ce qui se passait entre Bianca et Alex, et tout ce que j'ai réussi à savoir, c'est qu'elle pleurait et qu'ils se sont enfermés dans sa chambre. Comme je ne peux pas défoncer la porte pour en savoir davantage, je vais rejoindre Oli et je te tiens au courant dès que j'ai des nouvelles, OK ?

28-11 21 h 32

Oui, oui. Ne t'en fais pas pour moi. Profite de ta soirée. xx

28-11 21 h 33

Merci ! Et toi, évite de t'inventer des scénarios d'horreur. Je suis certaine qu'ils se sont juste isolés parce que Bianca se sentait mal de pleurer devant tout le monde. Va prendre un bain, ça t'aidera à relaxer. *Luv* xox

J'ai déposé mon cellulaire en soupirant. Comment pouvais-je relaxer en m'imaginant qu'Alex était seul dans une chambre avec Bibi ? Même si mon orgueil hurlait de tourner la page et de les ignorer, je sentais la panique monter en moi et me dicter de tout faire pour découvrir ce qui se passait dans cette pièce.

Sans réfléchir, j'ai entrouvert la porte de ma chambre et j'ai aperçu mes parents qui regardaient un film au rez-de-chaussée. Impossible pour moi de me sauver par là.

J'ai appliqué du mascara à l'aveuglette, j'ai enfilé un chandail noir en laine par-dessus ma chemise à carreaux en guise de camouflage (je sais, c'est pathétique) et j'ai ouvert la fenêtre de ma chambre. J'ai été saisie par l'air *frette* de novembre. Une chance que Bianca n'habite qu'à quelques minutes de marche de chez moi. Je me suis faufilée à l'extérieur et je me suis retrouvée sur le toit.

Bravo, championne ! Tu fais quoi, maintenant ?

J'ai scruté la noirceur pour trouver une façon de descendre. Comme il fallait sauter dans le vide pour atteindre le seul arbre planté dans la cour, j'ai rapidement écarté cette possibilité. Je m'apprêtais à rebrousser chemin (ce que j'aurais dû faire), quand j'ai vu l'échelle de mon père à quelques mètres de moi. Je me suis alors souvenue qu'il était monté sur la toiture quelques jours auparavant pour nettoyer la gouttière, et qu'à ma grande surprise, il n'avait toujours pas rangé l'échelle, qui était encore appuyée contre la maison.

J'ai marché sur la pointe des pieds jusqu'aux échelons que j'ai descendus en retenant mon souffle.

J'ai poussé un soupir de soulagement en touchant le plancher des vaches.

Wow. C'est comme si le destin me donnait raison de défier l'autorité parentale.

J'ai rejoint la rue le plus discrètement possible et j'ai couru jusqu'à la maison de Bianca. Même si mes parents n'étaient pas du genre à s'inviter dans ma chambre, je ne voulais pas que mon absence se prolonge. Il ne me suffirait que d'apparaître nonchalamment à la fête et remercier l'hôtesse pour sa générosité...

J'ai sonné et c'est José qui est venu m'ouvrir.

Moi : Tu te prends pour Bianca ?
José (en forçant un sourire) : Non, mais comme elle est indisposée en ce moment, je lui donne un coup de main en accueillant ses invités.

Moi (en entrant dans la maison en feignant l'innocence) : Qu'est-ce que tu veux dire par là ?
José (en me dévisageant comme si j'avais le QI d'une sardine) : Que j'ouvre la porte à sa place quand ça sonne.
Moi (en roulant les yeux) : J'avais compris. Mais pourquoi tu dis qu'elle est « indisposée » ? Est-ce qu'il lui est arrivé quelque chose ?
José (en me souriant comme seule sa blonde aussi sait le faire) : Maintenant que tu ne sors plus avec Oli, je n'ai aucune obligation d'être sympathique avec toi. Et encore moins de te révéler des informations personnelles sur les personnes que je respecte.
Moi (en plissant les yeux) : C'est vrai que tu as l'air de la « respecter » pas mal. Mais je ne suis pas certaine que ça fasse le bonheur de ta blonde. Parlant d'elle, où est Maude, ce soir ?

José s'est contenté de m'envoyer un regard noir avant de rejoindre sa gang au salon.

Katherine (en se précipitant vers moi) : Léa ? Qu'est-ce que tu fais ici ?
Moi (en rougissant) : Je... euh... J'étouffais un peu chez moi, alors je me suis dit que ça me ferait du bien de prendre de l'air et de venir te faire un petit coucou.

Katherine (en posant ses mains sur ses hanches) : Tu veux dire que mon texto t'a rendue folle au point de désobéir à tes parents et de te sauver de la maison ?
Moi (en soupirant) : OK, j'assume. La jalousie me fait perdre la tête et il faut que je découvre ce qui se passe entre...

Bianca est alors apparue devant moi.

Bianca (en me souriant à pleines dents) : Léa ! Je suis contente que tu sois venue !

Je l'ai observée pendant quelques secondes. Elle avait un teint radieux et semblait fraîchement maquillée.

Moi : Ouais, comme j'habite tout près, j'ai pensé venir te saluer.
Bianca (en pointant en direction de la cuisine) : Fais comme chez toi ! Il y a du jus, des boissons gazeuses, de la bière et du fort.
Moi : Euh, je vais me contenter d'un verre d'eau.
Bianca (en me faisant un clin d'œil) : C'est vrai que ta dernière cuite a pas l'air d'avoir été super le *fun* !

J'ai forcé un sourire et je suis allée me prendre un verre. J'ai scruté les alentours, le cœur battant. Pas d'Alex en vue. Katherine est aussitôt venue me rejoindre.

Katherine : Je ne veux pas jouer les saintes nitouches, mais je pense que tu ferais mieux de rentrer. Si jamais tes parents s'aperçoivent que tu n'es pas là...
Moi (en l'interrompant) : Bibi n'a pas l'air triste pantoute.
Katherine (en haussant les épaules) : Ç'a dû lui passer.

Je l'ai dévisagée pendant quelques instants.

Moi : Kath, je sais très bien que quand tu n'es pas capable de me regarder dans les yeux, c'est parce que tu me caches quelque chose. Je croyais qu'on s'était engagées à être honnêtes l'une envers l'autre ?
Katherine (en poussant un soupir) : Tu as raison. Je m'excuse. Mais je fais ça pour te protéger.
Moi : De quoi tu parles ?
Katherine : Quelques minutes après mon dernier texto, Bianca et Alex sont finalement sortis de la chambre. Elle s'est réfugiée dans les toilettes pour se refaire une beauté, et quand elle est sortie de là, je lui ai demandé si tout allait bien puisque je l'avais vue pleurer un peu plus tôt en soirée.
Moi : OK. Et qu'est-ce qu'elle t'a répondu ?
Katherine (en baissant le ton pour éviter qu'on l'entende) : Qu'elle avait eu un gros *down* à cause d'un gars, mais qu'elle s'efforçait de se changer les idées.
Moi (le cœur battant) : Est-ce qu'elle parlait d'Alex ?

Katherine : Je ne sais pas ! Je m'apprêtais à lui demander quand des amis de José nous ont interrompus. Je vais essayer de la relancer plus tard.
Moi (en secouant la tête et en retenant mes larmes) : Je n'en reviens pas ! Pourquoi Alex prétend-t-il qu'il ne veut pas de relation s'il se jette sur elle dès que j'ai le dos tourné ?
Katherine (en essayant de me calmer) : Relaxe, Léa. On ne sait même pas si elle parlait de lui ou d'un autre.
Moi : C'est sûr que c'est lui. Ça expliquerait pourquoi elle a eu l'air si soulagée quand je lui ai fait croire que j'étais contente qu'ils se soient rapprochés.

J'ai alors aperçu, du coin de l'œil, Alex qui discutait avec un ami de José.

Moi : Parlant du loup.
Katherine : Oublie ça, Léa.
Moi : Non. Je veux en avoir le cœur net.

J'ai marché vers lui d'un pas décidé.

Moi : Alex ? Je peux te parler ?
Alex (en se tournant vers moi et en souriant) : Eille ! Je ne m'attendais pas à te voir ici ! Katherine m'a dit que tu ne pouvais pas venir.
Moi (d'un ton sec) : Est-ce que ma présence te dérange ?
Alex : Euh, non. Au contraire.

L'ami de José s'est rapidement senti de trop et s'est éloigné sans rien dire.

Alex (en me prenant par la main) : Viens, on va aller dans la chambre de Bianca. On va être plus tranquilles.
Moi (en la retirant d'un coup sec, mais en le suivant tout de même) : C'est vraiment ton repaire d'excellence, hein ?

Alex est entré dans la chambre et m'a regardée d'un drôle d'air.

Lui : De quoi tu parles ?
Moi : Du fait que tu t'es enfermé ici même avec Bianca juste avant que j'arrive.
Lui : Léa, je...
Moi (en brandissant la main pour l'interrompre) : Avant que tu me dises que tu ne me dois rien, laisse-moi te rassurer : je le sais. Et je suis aussi consciente que je n'ai « pas le droit » de te demander des comptes. Mais je ne peux pas continuer de faire semblant que la situation ne me blesse pas.
Alex (en me regardant d'un air perplexe) : De quoi tu parles ?
Moi : Du fait que tu m'aies fait croire qu'on était mieux de rester amis « parce que tu es nul en relation et que tu ne veux pas de blonde ». Si c'était le cas, tu ne fréquenterais pas Bianca. La vérité, c'est que tu ne voulais pas que ça

aille plus loin entre nous parce que tu es amoureux d'elle. Pourquoi tu ne m'as rien dit ?

Alex a soupiré et s'est laissé tomber sur le lit.

Alex : Rongeur, comment on a fait pour en arriver là ?

Je lui ai lancé un regard interrogateur.

Alex : Je veux dire... Tu étais la personne la plus proche de moi, et là, j'ai l'impression qu'on est à des années-lumière l'un de l'autre et qu'on passe notre temps à se disputer.
Moi (en baissant les yeux) : Je ne sais pas.
Alex : Pour répondre à ta question, je n'ai pas été malhonnête avec toi. C'est vrai que je suis poche en relation. Mais je ne suis pas amoureux de Bianca. Je tiens beaucoup à elle et je t'avoue qu'elle m'aide pas mal depuis notre... incident. Alors je trouve juste ça normal d'être là pour elle quand elle traverse des moments plus *rough* comme ce soir. Après tout, c'est ça, l'amitié.
Moi (en m'assoyant près de lui, honteuse) : Oh. Je m'excuse, Alex. J'ai mal interprété ce qu'on m'a raconté.
Alex : Si ça peut te rassurer, je suis un peu jaloux, moi aussi.
Moi : Je ne suis pas jalouse !

Alex m'a observée d'un drôle d'air. J'ai fini par abdiquer et pousser un soupir.

Moi : Bon, OK. J'avoue que je trouve ça difficile de te voir tout le temps avec elle. J'ai l'impression qu'elle prend ma place.
Alex : Si ça peut te rassurer, ça me fait aussi un petit pincement quand je te vois avec Éloi.
Moi (en tentant de cacher ma joie) : Ah ouais ?
Alex (en haussant les épaules) : Ben oui ! Je le vois bien que tu te rapproches de lui et ça me gosse de ne plus être ton mousquetaire numéro un. Celui qui te fait tellement rire que le jus de raisin te sort par le nez.

J'ai souri.

Alex : Je sais qu'on s'est dit que ça ne servait à rien de bousculer les choses et qu'il fallait laisser le temps faire son œuvre et blablabla, mais tu me manques, Poil de maïs. Notre amitié me manque.

Nous sommes restés silencieux quelques instants.

Moi : Ouais. À moi aussi.

Je l'ai regardé dans les yeux. Je savais que je n'avais plus rien à perdre et que je pouvais être honnête avec lui.

Moi : Alex, il y a quelque chose que je ne t'ai pas dit.
Alex : Quoi, ça ?
Moi : Quand on s'est parlé le soir de l'Halloween...

Bip, Bip.

Son cellulaire a vibré.

Moi : Ton téléphone sonne.
Alex : C'est un message texte. Ça peut attendre.
Moi : Bref, quand tu m'as expliqué ta vision des choses...

Bip, Bip. Bip, Bip.

Alex a soupiré et a jeté un coup d'œil rapide à son écran.

Alex : C'est Bianca qui me cherche.

Elle est pas mal acharnée pour une fille que tu n'aimes pas.

Alex : Tu disais ?
Moi : Que ce soir-là, il y a quelque chose que j'aurais dû t'avouer.
Alex : Quoi donc ?

Bip. Bip.

Au tour de mon téléphone de vibrer.

28-11 22 h 31

Léa ? T'es passée où ? Tu m'inquiètes !

Moi : C'est Kath. Elle pense que je me suis fait enlever. Donne-moi une minute pour la rassurer !
Alex : OK.

28-11 22 h 31

Suis avec Alex. Tout va bien.

28-11 22 h 31

OK. Moi, je viens d'avoir une discussion avec Bianca dans les toilettes et j'ai appris deux gros potins, mais il faut que tu me promettes de garder ton calme.

28-11 22 h 32

??

28-11 22 h 32

Premièrement, elle m'a dit qu'elle était amoureuse de José et que c'est pour ça qu'elle capotait ! Il ne le sait pas, alors CHUT !

J'ai éclaté de rire.

Alex : Qu'est-ce qui se passe ?
Moi : Rien. Katherine vient de me confirmer que je suis officiellement folle !
Alex (en souriant) : Ben là ! C'est une évidence depuis longtemps !

Bip ! Bip !

La suite du texto de Kath m'a fait perdre mon sourire.

28-11 22 h 33

Le deuxième potin ne te plaira pas. Elle m'a avoué qu'elle avait eu un moment de faiblesse et qu'elle avait embrassé Alex il y a quelques jours, alors qu'il la consolait. Mais si ça peut te rassurer, ça ressemble vraiment à mon histoire avec Félix et ça se résume à un moment de vulnérabilité entre amis. Et il paraît qu'il a rapidement mis fin au baiser.

J'ai tourné mon regard vers lui.

Alex : Léa ? Ça va ?

Tout à coup, le voile s'est levé. Je n'avais plus envie de me battre. Ni de lui demander des comptes. Ni d'être jalouse.

Tout ce que je voulais, c'était rentrer chez moi. Car j'avais enfin obtenu ma réponse.

Léa (en me relevant) : Ouais, mais il va falloir que j'y aille.
Alex : Mais tu n'as même pas fini ta phrase.
Léa : Au contraire. Tout a été dit.

Alex m'a regardée d'un air perplexe.

Mon téléphone a sonné. J'ai jeté un coup d'œil à l'écran. Mes parents. Merde.

Moi (soudain prise de panique) : Il faut que je rentre.
Alex (en se levant aussi) : Léa ? Qu'est-ce que tu aurais dû m'avouer, ce soir-là ?
Moi (en retenant mes larmes) : Que toi aussi tu es super important pour moi, et que tout ce que je veux, c'est que tu sois heureux.

Alex a semblé remué par ma déclaration. Il a tendu une main vers moi.

Alex : Léa...

Mon téléphone s'est remis à sonner. Je me sentais comme dans un film, et même si j'étais tentée d'ignorer l'appel de mes parents et de lui avouer que je ne voulais pas de son amitié, car j'étais follement amoureuse de lui, je savais que ma vie n'était pas une comédie romantique et que je n'avais pas besoin d'en dire plus.

Alex n'est pas dupe. Il sait très bien que ce qui me pousse à le relancer et à lui faire des crises de jalousie, c'est l'amour que j'éprouve pour lui, mais son inaction vaut mille mots et je vois bien qu'il n'est pas prêt.

Après tout, s'il avait vraiment voulu qu'on soit ensemble, il n'aurait pas eu besoin de me questionner pour me sortir les vers du nez. Il m'aurait prise dans ses bras pour me faire comprendre que c'était réciproque. Et surtout, il n'aurait pas embrassé Bianca en sachant très bien que j'allais finir par le savoir.

Moi (en souriant et en refoulant de nouveau mes larmes) : Mes parents m'attendent. Tu salueras tout le monde pour moi.

Je l'ai embrassé rapidement sur la joue et je suis sortie de la chambre. Derrière ma peine se cachait une sorte d'apaisement. J'avais désobéi pour découvrir ce qui se tramait entre Alex et Bianca, et voilà que je rentrais avec des réponses encore plus précises.

En effet, même si j'avais appris qu'il n'était pas amoureux d'elle, je savais aussi que ça ne changeait rien entre lui et moi.

Ce qu'il fallait que j'accepte, c'est que mon histoire avec lui n'irait pas plus loin. Ma période de déni et de colère était terminée, et je devais maintenant faire face à la réalité.

Je suis rentrée chez moi en retenant mon souffle. Si mes parents m'appelaient, c'est qu'ils savaient que je n'étais pas dans ma chambre. Pour la deuxième fois du mois, j'avais enfreint leurs règles et je devais en assumer les conséquences.

Quand je suis entrée dans la maison, je les ai aperçus qui m'attendaient dans le salon.

Mon père : Est-ce que je dois commencer à barricader la maison pour ne pas que tu t'évades, Léa ? On en est vraiment rendus là ?
Moi : Non. Je sais que j'ai été conne. J'ai mal agi et je m'excuse sincèrement de vous avoir inquiétés.
Ma mère : Qu'est-ce qui se passe, Léa ?
Moi : J'avais besoin de réponses, maman.
Ma mère : Je comprends, mais tu aurais dû attendre à lundi pour les obtenir.

Mon père (en parlant d'un ton ferme) : Tu es privée de sortie, de cellulaire et de ton ordinateur portable jusqu'à nouvel ordre. Tu pourras faire tes travaux sur celui de ta mère.
Moi (en baissant les yeux et en leur remettant mon téléphone) : Je comprends. Je suis désolée.
Ma mère : Va te coucher, Léa. Il est tard.

Je suis montée à ma chambre et j'ai éclaté en sanglots. C'est la première fois que je voyais cette expression dans les yeux de mes parents. Je savais qu'au-delà de l'inquiétude, ils étaient déçus.

J'ai fini par m'endormir au bout de mes larmes. En ouvrant les yeux ce matin, j'ai toutefois été prise de panique : et s'ils t'empêchaient aussi de venir me visiter ? Je suis aussitôt descendue à la cuisine pour obtenir ma réponse.

Moi (en apercevant ma mère) : Bonjour !
Ma mère : Chut ! Ton père et Félix dorment encore.
Moi : Papa fait la grasse matinée ? Je pense que ce n'est pas arrivé depuis que je suis née.
Ma mère (en me dévisageant) : Je sais, mais comme les agissements de sa plus jeune l'ont tenu éveillé toute la nuit, il avait du rattrapage à faire.
Moi (en baissant les yeux) : Je me sens tellement mal, maman. Je ne sais pas quoi dire pour arranger les choses.

Ma mère : Tes paroles ne calmeront pas ton père. Ce sont tes gestes qui finiront par l'apaiser.
Moi : Je sais.

Elle s'est servi une tasse de café et s'est tournée vers moi.

Moi (en prenant une profonde inspiration) : Je sais que ce n'est pas le meilleur moment pour vous parler de ça, mais comme tu le sais, Marilou avait prévu de venir passer quelques jours ici pendant les vacances. Et même si je ne suis pas en position de vous demander une faveur, j'espère que vous me permettrez de la recevoir comme prévu. J'ai vraiment besoin d'elle en ce moment.
Ma mère : J'avoue que j'avais oublié ce détail. Il va falloir que j'en parle avec ton père.
Mon père (en se pointant derrière moi) : C'est OK pour Marilou. Si elle accepte de rester enfermée ici avec toi.

J'ai marché vers mon père et je l'ai serré contre moi.

Moi : Merci, papa.
Ma mère : Es-tu sûr, chéri ?
Mon père : Oui. J'ai confiance qu'elle l'aidera à retrouver le droit chemin.
Moi (en souriant) : Moi aussi, papa.

L'arrivée de Félix a détendu l'atmosphère et j'ai proposé de cuisiner des crêpes. Je sais que je suis loin d'être pardonnée, mais j'espère qu'au cours des prochaines semaines, ils réaliseront que ma période de rébellion est bel et bien terminée. Car même si l'amour m'a momentanément fait perdre la tête, je crois que la douche froide que j'ai subie hier m'a permis de reprendre mes esprits.

J'espère seulement que j'arriverai à tourner la page au plus vite. Heureusement, je sais que je peux compter sur Éloi, Katherine, Jeanne et toi, ainsi que sur mes cent quarante projets pour retrouver le sourire et me concentrer sur autre chose !

Je te laisse, car ma mère m'a fait comprendre que mon temps sur son ordi était écoulé.

Je t'aime et si tu veux me contacter, passe par les courriels ou la ligne de la maison !

Léa xox

Chapitre 5 :
Le retour des Câlinours

À : Jeanneditoui@mail.com, Katherinepoupoune@mail.com
De : Léa_jaime@mail.com
Date : Mercredi 2 décembre, 18 h 25
Objet : Je me sens comme une femme des cavernes

Salut, les filles,
J'ai su que vous m'aviez appelée à la maison, mais comme Félix a dépassé les minutes de son forfait, il accapare la ligne depuis qu'il est rentré du cégep !

J'ai expliqué à mes parents que même si je comprenais que je méritais une punition, je jugeais que la perte de mon cellulaire et l'interdiction formelle d'avoir accès à une vie sociale me semblaient suffisantes. Bref, que j'aimerais pouvoir retrouver mon ordi, et surtout, avoir accès à Skype et aux réseaux sociaux.

Ils m'ont dit qu'ils allaient en discuter et qu'ils allaient me revenir là-dessus. Croisez-vous les doigts pour moi ! En attendant, comme je ne peux pas vous joindre plus directement, je tenais quand même à vous dire que j'étais vivante et que si je me suis absentée de l'école aujourd'hui, c'est simplement parce que j'avais une visite chez le dentiste, et non pas parce que j'ai vu Bianca dîner en tête à tête avec Alex, hier midi. Comme je vous l'ai répété mille fois depuis lundi, je dois me faire à l'idée qu'ils sont amis (et parfois plus, paraît-il), et que mon chien est mort.

Je crois même que le fait de les voir ensemble accélèrera mon processus de deuil !

Aussi, je voulais formellement vous inviter à la maison dimanche. Comme je ne peux pas sortir de chez moi, Éloi m'a proposé de venir regarder des films, alors si vous êtes libres, vous êtes les bienvenues !

Léa xox

À : Léa_jaime@mail.com, Katherinepoupoune@mail.com
De : Jeanneditoui@mail.com
Date : Mercredi 2 décembre, 18 h 28
Objet : Re : Je me sens comme une femme des cavernes

Salut, amie des cavernes !
Premièrement, je voulais t'annoncer une super bonne nouvelle : j'ai enfin trouvé une idée de génie pour le financement du voyage ! J'ai un cousin qui possède une petite compagnie de vêtements et qui conçoit, entre autres, des t-shirts vraiment originaux. Je me suis donc arrangée avec lui pour en faire faire une soixantaine à l'effigie de notre école qu'on pourra vendre avec profit. Je pense que la plupart des finissants voudront s'en procurer un qu'ils pourront garder en souvenir ! On aura trois couleurs et

plusieurs tailles disponibles. C'est cool, hein ? On n'a qu'à s'installer dans la cafétéria le midi pour attirer des gens.

Pour ce qui est de dimanche, je suis *in* !

Jeanne xox

P.S. Dis à tes parents que j'appuie ta demande. C'est beaucoup plus rapide de communiquer par FB ou Skype !

À : Léa_jaime@mail.com, Jeanneditoui@mail.com
De : Katherinepoupoune@mail.com
Date : Mercredi 2 décembre, 20 h 21
Objet : Re : Je me sens comme une femme des cavernes

Allo ! Malheureusement, je ne peux pas dimanche, car j'ai déjà une réunion prévue avec Bianca pour le défilé. On parlera entre autres du numéro avec les maillots de bain, alors je t'en donnerai des nouvelles !

Je sais que je suis fatigante avec ça, mais je sens que tout ce qui t'arrive est un peu ma faute. Si je ne t'avais pas envoyé de texto alarmiste samedi soir, tu ne te serais pas sauvée par la fenêtre de ta chambre et tu n'aurais pas l'impression de vivre à l'âge de pierre.

Je suis solidaire dans ta frustration cybernétique !

Luv,
Katherine

À : Léa_jaime@mail.com
De : Marilou33@mail.com
Date : Vendredi 4 décembre, 22 h 45
Objet : Félix me gosse !

Coucou !
Laisse-moi d'abord te dire à quel point ton frère m'énerve : ça fait trois jours que j'essaie de te joindre, mais la ligne est tout le temps occupée !

Comment vas-tu ? Comment s'est passée ta semaine ? Est-ce que tes parents sont encore très fâchés ou ça va un peu mieux ? Comme je te le disais lundi soir, je suis surtout soulagée qu'ils me permettent de venir te voir, et ton père peut compter sur moi pour mettre un peu de plomb dans ta cervelle d'oisillon ! ;)

Je sais que tu prétends avoir repris le dessus, et tant mieux si ta mésaventure t'a permis d'avoir une épiphanie et de mettre une croix sur Alex, mais je pense que tu as encore du chemin à faire pour retrouver ton équilibre. Je suis contente que tu passes du temps avec Éloi. Je crois que son calme et son écoute t'aideront à faire le vide et à réaliser qu'il faut profiter de chaque minute qui passe, car le temps file trop vite.

Je sais que ça sonne un peu intense, mais l'approche du cégep devient de plus en plus concrète et le fait de quitter notre village m'a frappée de plein fouet hier soir.

J'étais chez JP et je regardais dehors quand j'ai senti une sorte de boule se former dans mon ventre.

Moi : C'est tellement beau !
JP (en regardant par-dessus mon épaule) : Tu dis ça parce qu'on en est encore aux premières neiges, mais tu vas voir qu'en avril, tu ne seras plus capable de la voir, la neige !
Moi : Je ne parle pas de la neige qui tombe, niaiseux. Je parle des lumières qui brillent et des voisins qui ont déjà posé leurs décorations de Noël.
JP (en me dévisageant) : Aux dernières nouvelles, tu trouvais que Gérard était beaucoup trop intense avec ses rennes et que les lumières clignotantes des Marcoux te donnaient mal à la tête !
Moi : J'étais cynique et j'ai changé d'idée. Je trouve ça génial de voir leur motivation.

JP s'est assis près de moi et m'a pris la main.

JP : Qu'est-ce qui se passe, Lou ?
Moi : Quoi ? Je n'ai pas le droit de trouver que notre village est beau ?
JP : Non. Surtout quand tu me casses les oreilles tous les jours avec tes envies d'aller vivre à Québec.
Moi (en baissant les yeux) : Justement. C'est facile de se plaindre quand on n'a pas d'autre choix que de vivre ici, mais c'est autre chose quand on pense s'en aller.
JP : Je ne comprends pas.
Moi : Je me sens nostalgique.
JP : Déjà ? Il te reste deux mois avant ton inscription et genre huit avant ton départ.
Moi (en haussant les épaules) : Je sais. Je pense que c'est Noël qui me rend comme ça.
JP (en s'approchant de moi) : Une chance que je sais comment te faire retrouver ton sourire !

Il s'est mis à me chatouiller et j'ai éclaté de rire en me tortillant.

Moi (en le repoussant) : Pitié, arrête ! Je vais faire pipi dans mes culottes !
JP : J'essayais juste de te remonter le moral.
Moi (en l'embrassant) : Je connais une façon encore plus efficace...

Il a répondu à mon baiser et disons que la tension a monté d'un cran. Il a retiré son t-shirt et il a commencé à déboutonner ma chemise. Un bruit de porte m'a toutefois fait sursauter et je me suis cachée sous sa couette.

JP (en soulevant la couverture pour me dévisager) : Qu'est-ce que tu fais, Lou ?
Moi : J'ai entendu quelqu'un rentrer.
JP : C'est ma mère. Mais la porte de ma chambre est fermée, alors pas besoin de te cacher.

Il m'a attirée vers lui pour poursuivre ses caresses, mais je l'ai repoussé doucement et je me suis rhabillée en vitesse.

JP (en me souriant d'un air espiègle) : Je te trouve plus belle sans vêtement.
Moi (en lui lançant un oreiller) : Niaiseux !
JP : Sans blague, pourquoi tu te lèves ? On était bien, non ?
Moi : Oui, mais je ne me sens pas à l'aise de te *frencher* dans ton lit alors que ta mère regarde la télé à côté.
JP : T'es sûr que c'est ça ?
Moi : Oui. Pourquoi tu me demandes ça ?
JP : Si c'est parce que tu ne te sens pas prête à aller plus loin, je veux que tu saches que je ne suis pas pressé. Je vais t'attendre, Lou.
Moi : C'est gentil, mais ce n'est pas le cas.
JP : Donc tu te sens prête ?

Moi (en rougissant) : Je pense que oui.
JP : Je veux que tu sois sûre.

Je me suis mordu la lèvre, songeuse.

JP : À quoi tu penses ?
Moi : À Odile.
JP : Wow. Sarah et sa gang t'obsèdent même dans notre intimité ?
Moi : Ben non. Je pensais à elle à cause de ce qui lui est arrivé.
JP : Quoi, ça ?
Moi : Laurie m'a raconté que Julie-Anne lui avait dit que Géraldine lui avait confié qu'Odile avait perdu sa virginité dans un party parce qu'elle voulait « s'en débarrasser ». Je trouve ça vraiment poche comme histoire.
JP : Moi aussi. Mais je ne vois pas en quoi ça nous concerne.
Moi : C'est juste que je me suis toujours imaginé que ma première fois serait magique. Avec un gars que j'aime, dans un endroit où je me sens bien.
JP : Je comprends. Tu veux que ce soit romantique.
Moi : Genre. Est-ce que tu me trouves quétaine ?
JP (en m'embrassant sur la joue) : Au contraire.

Il s'est rhabillé tellement vite qu'il a mis son t-shirt à l'envers.

Moi (alors qu'il ouvrait la porte pour aider sa mère à mettre la table) : JP ! Ton chandail est tout croche !
JP (en haussant les épaules) : Ouin, pis ?
Moi : Ben là ! Un peu de subtilité, s'il te plaît ! Veux-tu que je me reboutonne en jalouse, tant qu'à y être ?

Il m'a regardée avec des yeux de truite confuse.

Moi (en soupirant) : Ça veut dire pas dans les bons trous.
JP : Tu serais *cute* pareil.
Moi : Pas sûre que ta mère serait du même avis.

JP a roulé les yeux, puis il a retiré son t-shirt.

JP : C'est mieux, ça ?
Moi : Ben oui ! Mets-toi donc tout nu, tant qu'à y être !
JP (en souriant) : T'aimerais trop ça.
Moi (en lui tendant son t-shirt) : Nia, nia. Allez, grouille ! Remets-le.

Quand il s'est finalement exécuté, j'ai aperçu une grosse tache dans son dos.
Moi : Ark ! C'est quoi, ça ?
JP (en se tortillant pour s'observer) : Hum. On dirait une empreinte de ballon de basket. C'est soit ça, soit de la sauce à poutine.

Moi : Je ne veux même pas savoir comment ça s'est retrouvé là ! Vite, change-toi !
JP (en me regardant d'un air découragé) : Encore ?

Il a soupiré et a soulevé une chemise qui traînait par terre avant de la renifler.

Moi : Tu fais quoi, là ?
JP : Je vérifie si elle est propre.
Moi (sarcastique) : Super, comme technique !
JP (d'un air fier) : Je sais.
Moi : Si tu faisais le ménage de ta chambre, ce serait plus simple de savoir ce qui est sale ou non.
JP : Ouais, mais ce serait plus long pour me préparer.
Moi : Donc, tu choisis la paresse plutôt que la propreté ?
JP : *Nope !* Je choisis l'efficacité.

Il m'a fait un sourire avant d'enfiler sa chemise, de lancer son t-shirt sale par terre et de sortir de la chambre en sifflotant.

J'ai ri en secouant la tête. Même si sa méthode me décourageait (on s'entend que ce matin, il a sûrement reniflé ce même t-shirt pour déterminer sa fraîcheur), ce petit épisode du quotidien me prouvait à quel point je l'aimais. Crois-le ou non, je le trouvais irrésistible, malgré son manque de logique et son côté bordélique.

Ça m'a aussi fait réaliser que j'étais bel et bien prête à aller plus loin. La seule chose qui me freine, c'est l'atmosphère.

Je ne dis pas que je veux une sérénade et des violons, mais je tiens à ce que ce soit un moment magique et que je me sente bien. Tu comprends ?

Je sais que tu traverses un ouragan émotif en ce moment, mais je tenais tout de même à te dire où j'en étais rendue. Sans compter que tu es la seule à qui je veux et je peux me confier à propos de ça.

J'espère que ton vendredi soir n'est pas trop ennuyant malgré ta mise en quarantaine !

Écris-moi dès que tu peux !

Lou xox

À : Marilou33@mail.com
De : Léa_jaime@mail.com
Date : Dimanche 6 décembre, 19 h 42
Objet : Mégane est de retour, et est plus gossante que jamais !

Salut, Lou !
Premièrement, je suis désolée de ne pas avoir pu te rappeler cette semaine. Moi qui jugeais mes parents parce qu'ils ont une ligne fixe (on n'est plus en 1989, quand même), je réalise maintenant qu'on en aurait besoin de trois. Deux pour que les secrétaires de Félix puissent trier ses appels, et une autre pour mes parents et moi.

Deuxièmement, je suis trop contente que tu me parles de ce que tu vis, et même si je ne me suis jamais rendue là avec un gars, ça ne m'empêche pas de partager ton besoin d'intimité et de romantisme.

Quand je sortais avec Oli, j'avais de la difficulté à songer à franchir cette étape avec lui (je réalise maintenant que c'était parce que je n'étais pas complètement amoureuse de lui, et que tout comme toi, j'ai toujours imaginé ma première fois avec un gars que j'aimais passionnément), mais quand je m'efforçais de le faire, je m'imaginais souvent devant un feu de foyer, le regardant dans les yeux. Bref, je comprends tout à fait ton désir et je crois que tu as bien fait d'en discuter avec lui. Ça montre à quel point vous êtes proches l'un de l'autre.

Pour ce qui est de ma vie, ma semaine s'est déroulée dans un calme relatif. Je saluais brièvement Alex quand je le croisais, j'essayais de me tenir loin de Maude pour qu'Annie-Claude croie en notre pacte d'amitié et je passais beaucoup de temps au journal avec Éloi ou avec Jeanne pour préparer notre future vente de t-shirts à l'effigie de l'école, qui nous permettra d'amasser des fonds pour le voyage en France.

Ce bel équilibre s'est toutefois un peu effondré lorsque les Câlinours ont fait un retour en force dans ma vie. Comme tu le sais, je devais commencer mon tutorat avec Mégane hier après-midi.

J'étais en train de déjeuner en me préparant psychologiquement à la revoir quand on a sonné à la porte.

Ma mère (en levant la tête) : Qui est-ce que ça peut bien être ?
Félix : Des témoins de Jéhovah ?
Mon père : Ils ne se feront pas d'ami en sonnant chez le monde à dix heures un samedi matin.
Moi : Je vais aller voir c'est quoi.

J'ai ouvert et j'ai aperçu Réal, Guylaine et Mégane qui me souriaient à pleines dents.

Réal (en entrant dans la maison sans même que je l'invite) : Bonjour, tout le monde ! On vous a apporté des croissants !
Guylaine (en le suivant de près et en s'avançant vers la salle à manger) : Eille, ça fait trop longtemps, la gang ! On était tellement dû pour se revoir !
Mégane (en se précipitant dans mes bras) : Quand ma mère m'a dit que j'aurais besoin de tutorat, j'ai fait une crise. Mais quand j'ai su que c'est toi qui m'aiderais, ce sont des larmes de joie qui se sont mises à couler. Je suis tellement contente de pouvoir te voir chaque semaine. On va se faire du *fun* !

L'intensité des Câlinours m'a aussitôt donné le vertige. Mon père s'est avancé vers nos « invités » pour leur serrer la main.

Mon père : Bonjour, vous deux !
Guylaine : Vous êtes encore en pyjama ? On n'arrive pas trop tôt, j'espère ?
Ma mère : Non, non. C'est sans doute moi qui ai mal noté l'heure. Je vous attendais à 14 heures.
Guylaine : C'est bien ça ! Mais je me suis dit qu'on arriverait un peu à l'avance pour avoir le temps de jaser !

Mon regard a croisé celui de Félix, qui se mordait l'intérieur de la joue pour ne pas rire.

Félix : Vous avez bien fait ! C'est juste dommage que je ne puisse pas assister à vos retrouvailles.
Moi : Comment ça ?
Félix : Parce que j'ai promis à Flavie d'aller magasiner avec elle.
Moi : Ce n'est pas l'une de tes ex, ça ?
Félix : Maintenant, c'est l'une de mes fréquentations.
Moi : Ton cœur est guéri, à ce que je vois.
Félix : Oui, et tout ça, c'est grâce à toi. Merci, Léa. Et bonne journée avec nos invités.

J'ai serré les poings. Il n'était pas question qu'il m'abandonne avec les Câlinours. Surtout pas après m'avoir privée du téléphone pendant une semaine.

Moi : Pourquoi tu n'invites pas Flavie à bruncher ? Ce serait plus poli pour nos convives et ça nous donnerait la chance de la connaître un peu mieux.
Félix (en me lançant un regard noir) : Ce n'est pas sérieux entre elle et moi. Alors ce n'est pas nécessaire de vous la présenter.
Ma mère (en entrant dans mon jeu) : Non, mais c'est vrai que ce serait plus sympathique si tu nous accompagnais

à déjeuner. J'aurais d'ailleurs besoin de tes talents pour concocter une omelette western.

Réal : Pas besoin d'être *fancy* de même ! Guylaine, Mégane et moi on peut se contenter de *toasts* au beurre de *peanut*.

Mon père : On insiste. Laissez-moi juste le temps d'aller m'habiller.

Ma mère : Même chose pour moi. Je reviens dans quelques minutes.

Félix : Je vais appeler Flavie pour l'avertir que j'ai un empêchement.

Moi (en cherchant une excuse pour ne pas être laissée seule avec Mégane et ses parents) : Et moi, je vais aller chercher mes manuels de français. Comme ça, on pourra commencer les leçons pendant le déjeuner et on gagnera du temps.

Ma mère : En attendant, faites comme chez vous...

Mais les Câlinours n'avaient pas besoin d'une invitation. Ils se sentaient déjà très à l'aise dans notre maison. Tellement que Mégane avait sorti ses cahiers et allumé la télé, tandis que Guylaine mettait la table et Réal se servait une tasse de café.

Félix et moi avons suivi mes parents jusqu'à leur chambre à coucher.

Moi (en fermant la porte et en chuchotant) : Est-ce que c'est moi ou ils sont encore plus étourdissants qu'à Cuba ?

Mon père : Je pense qu'on n'est juste pas habitués à fréquenter des gens enthousiastes comme ça.
Moi : Arriver quatre heures à l'avance, je n'appelle plus ça de l'enthousiasme...
Félix : Je n'en reviens pas que vous me forciez à rester ! Je sais que Léa ne peut pas sortir de la maison, mais je n'ai pas à payer pour elle !
Ma mère : Félix, pour une fois qu'on te demande un service, arrête de te plaindre. Et votre père a raison : Réal et Guylaine sont de bonnes personnes qu'on gagnerait tous à connaître.

J'ai tout de même vu le regard inquiet qu'elle a lancé à mon père en entendant Guylaine chantonner du Céline Dion. Je me doutais qu'elle angoissait à l'idée que les Câlinours instaurent une nouvelle tradition en s'invitant chez nous chaque samedi matin.

Moi : Maman, j'ai une idée !
Ma mère : De quoi tu parles ?

Je me suis contentée de lui sourire avant d'aller chercher mes livres et de descendre rejoindre nos convives.

Moi (en déposant mes manuels sur la table et en haussant le ton pour que ma mère entende) : Ça tombe bien que vous soyez venus aussi tôt aujourd'hui, car c'est notre seul

samedi de relâche. D'habitude, on n'a pas une seule minute à nous la fin de semaine.
Réal : Comment ça ?
Moi : Parce que Félix a un agenda aussi rempli que celui de Taylor Swift, et que moi, je suis inscrite dans dix millions d'activités. Et comme je ne conduis pas, mes parents m'y accompagnent.
Guylaine (un peu déboussolée par cette nouvelle) : Dommage ! Moi qui espérais profiter des tutorats de Mégane pour passer la journée avec nos amis de la grande ville !
Moi : C'est pour ça qu'il faut profiter au max du brunch d'aujourd'hui. Chez les Olivier, on a rarement le temps de paresser !

Mes parents sont apparus derrière moi.

Réal : Léa nous disait à quel point vous aviez un horaire chargé. On n'a pas le choix, si on veut se voir un peu, il va falloir *booker* un autre voyage à Cuba !
Mégane (en sautant sur le sofa et en se précipitant vers moi) : Oui ! Léa, ce serait tellement le *fun* de se retrouver ! On pourrait jouer sur la plage, comme la dernière fois. Et aussi faire des numéros de danse sur la scène. Tu t'en souviens ?

Comment oublier l'un des moments les plus humiliants de mon existence ?

Ma mère : Oh, ça va être difficile cette année. Notre budget ne nous le permet pas vraiment.
Guylaine : Alors on vous invite à notre chalet. C'est coquet et pas très grand, alors il va falloir se corder comme il faut !

Nous nous sommes forcés à sourire, puis ma mère et mon frère se sont sauvés dans la cuisine pour cuisiner, tandis que mon père et moi écoutions Guylaine qui poursuivait sur sa lancée.

Guylaine : Il y a une petite forêt proche du chalet. C'est le *fun* faire de la raquette, là, l'hiver. Mais il ne faut pas trop que Réal abuse, parce qu'il a tendance à se faire des ampoules.
Mon père (en feignant la sympathie) : Aïe. Ça doit faire mal.
Guylaine (en répondant pour son mari) : Mets-en ! Surtout que ça pousse directement sur ses oignons.

Je n'ai pas pu m'empêcher d'adopter une mine de dégoût. C'était une chose de les entendre faire des projets à long terme nous incluant, mais c'en était une autre de devoir endurer les longues descriptions des anomalies de pieds de Réal.

Réal (en m'apercevant) : Oh, ne t'en fais pas. Ce n'est pas aussi pire qu'on le pense. Veux-tu que je te montre ?

Moi (en écarquillant les yeux) : Ce ne sera pas nécessaire ! Je te crois sur parole !

Ma mère a posé la nourriture sur la table et Mégane s'est installée à côté de moi et m'a observée avec de grands yeux.

Moi (en la regardant brièvement, un peu gênée) : Allo !
Mégane : Salut ! Wow. T'es encore plus belle qu'en janvier dernier ! Tu dois sûrement avoir un chum !
Moi : *Nope*. Je suis célibataire.
Mégane (en sautant de joie) : Trop cool ! Moi aussi ! On est, genre, pareilles !
Moi (en me concentrant sur mon omelette) : Oui, mais disons qu'à dix ans, tu es encore moins pressée que moi d'avoir un chum.
Mégane : En fait, j'avais un amoureux il n'y a pas longtemps, mais j'ai cassé parce qu'il voulait m'embrasser.
Moi : C'est très bien ça, Mégane. Il faut que tu t'écoutes et que tu te fasses respecter.

Mégane a sorti un petit carnet de son sac et s'est mise à prendre des notes.

Moi : Qu'est-ce que tu fais ?
Mégane : Je transcris ce que tu me dis.
Moi : Pourquoi ?
Mégane : Parce que tu es mon idole.

Félix a pouffé de rire.

Ma mère : Pourquoi tu ris ? Je trouve ça plutôt flatteur que Mégane s'inspire de Léa !
Félix : J'espère juste qu'elle ne s'inspirera pas aussi de ses dernières bêtises !
Moi : Pas besoin de raconter ma vie, Félix.
Félix : Au contraire ! Si Mégane te perçoit comme son modèle, il faut qu'elle apprenne de tes erreurs.
Moi : Comme moi j'ai appris des tiennes ?
Félix : Non. Moi, je suis parfait.
Mégane : Léa n'est pas juste « mon modèle ». C'est aussi ma *BFF*.
Guylaine (en souriant) : Ça, c'est vrai ! Si tu voyais sa chambre ! Les murs sont couverts de photos de vous deux prises à Cuba.
Moi : Ah, ouais ? Et tes vraies amies ne sont pas jalouses ?
Mégane (en haussant un sourcil) : Qu'est-ce que tu veux dire, par « vraies amies » ?
Moi (en essayant de réparer ma gaffe) : Ben, euh, les copines de ta classe qui ont ton âge.
Mégane (en haussant les épaules) : Je n'en ai pas vraiment.
Moi : Pourquoi ? Ça ne clique avec personne ? Si c'est le cas, je suis bien placée pour te comprendre et t'encourager.
Mégane : Comment ça ?
Moi : Parce que quand je suis arrivée à Montréal, je me sentais super seule et rejet, mais au bout d'un moment,

j'ai finalement décidé de m'ouvrir un peu aux autres et j'ai découvert qu'il y avait des gens très cool autour de moi.
Guylaine : Dans le cas de Mégane, je dirais plutôt que le problème est qu'elle a tendance à s'entourer de gens qui profitent d'elle.
Moi (en me tournant vers Mégane) : Qu'est-ce qu'elle veut dire par là ?

Mégane allait répondre, mais Guylaine s'est dépêchée d'enchaîner.

Guylaine : Elle avait sa gang d'amies, mais elles se sont toutes revirées contre elle il y a quelques semaines sans lui donner d'explication. C'est une bande de petites ingrates !

Mégane a baissé les yeux. Se pourrait-il qu'elle soit aussi aux prises avec une gang de nunuches ? Je ressentais soudain beaucoup d'empathie pour ma fausse-amie-groupie-gossante.

Comme je pouvais sentir qu'elle n'avait pas envie d'en parler devant tout le monde, je me suis empressée de changer de sujet.

Moi : Et qu'avez-vous prévu pendant le temps des fêtes ?
Réal : Vous accueillir à notre chalet !

Félix : Hum... Ça va être difficile pour moi. Je dois travailler sur mes demandes pour l'université.
Guylaine : Tu veux t'inscrire en quoi ?
Félix : En droit. J'aimerais ça être avocat.
Réal : Wow ! Je comprends que ça demande de la préparation. Heureusement que la petite Léa pourra être là.
Moi (en m'efforçant de garder mon sourire) : Je ne crois pas pouvoir. Ma meilleure amie Marilou vient me visiter.
Guylaine : Tu n'as qu'à l'inviter ! Je suis sûre que Mégane serait contente d'avoir deux petites copines avec elle !

J'ai lancé un regard rempli de détresse à ma mère.

Ma mère : Euh, ça va être un peu compliqué pendant les fêtes, mais on verra si on ne peut pas se reprendre plus tard cet hiver.

On a fini de manger et Félix s'est poussé après avoir débarrassé la table.

Félix : C'était un plaisir de vous revoir. Désolé de devoir partir en coup de vent, mais Flavie m'attend. Heureusement, je vous laisse en bonne compagnie !

Il m'a fait un clin d'œil avant d'enfiler son manteau et de claquer la porte. Même si j'étais extrêmement jalouse, je savais que je méritais mon sort et je devais aider Mégane sans rouspéter si je voulais regagner ma liberté et participer au voyage en France.

Mes parents ont préparé de la limonade et Mégane a sorti ses cahiers d'école tandis que Réal et Guylaine s'installaient confortablement au salon.

Moi : Tu veux commencer par quoi ?
Mégane : J'ai un test cette semaine, alors j'aimerais qu'on couvre d'abord cette matière.

Elle a ouvert son agenda pour consulter les pages à réviser et j'ai aperçu une photo d'elle qui souriait aux côtés d'une petite brune à lunettes.

Moi (en pointant la photo) : Tu vois bien que tu as des amies !
Mégane (les yeux tristes) : C'est mon ancienne *best*. Celle qui ne me parle plus.

J'ai observé la photo de plus près. À première vue, la fille en question n'avait pas l'air d'une nunuche. Comme quoi il ne faut pas se fier aux apparences.

On a travaillé un peu sa compréhension de texte, mais on s'est surtout concentrées sur le groupe sujet et le groupe verbal, les adjectifs, les types de phrases et la conjugaison des verbes.

Moi (en refermant mes manuels) : Tu vois ? Ce n'est pas sorcier !
Mégane : C'est surtout beaucoup plus simple quand c'est toi qui expliques. Tu es tellement bonne, Léa.
Moi : Euh, merci. L'important, c'est que tu restes concentrée tout au long de l'examen. Et n'oublie pas mon petit truc : invente des mots avec la première lettre de chacune des exceptions pour t'en souvenir.
Mégane : Merci, Léa. Tu es vraiment cool.
Moi (en rougissant un peu) : Ça me fait plaisir.
Mégane : Est-ce que je peux te demander un autre service ?
Moi : Oui.
Mégane : Je peux t'emprunter la chemise que tu portes ?
Moi : Ben, euh... Je ne pense pas qu'on habille la même taille, Mégane.
Mégane : Pas grave. J'aurai l'air plus vieille.
Moi : Ouais, mais le problème, c'est que j'aime beaucoup cette chemise. C'est l'une de mes préférées et elle me porte chance.
Mégane : Alors est-ce que je peux fouiller dans ta garde-robe pour qu'on trouve des trucs que tu voudrais me prêter ?
Moi : Peut-être une autre fois. Là, il faut vraiment que j'aille faire mes devoirs.

Je me suis levée et j'ai rejoint mes parents qui écoutaient les Câlinours d'une oreille semi-attentive.

Guylaine : Ce n'est pas drôle ! Réal a tellement de problèmes gastriques. On dirait que tout lui donne des flatulences. Ça, c'est sans compter son acidité et son reflux.
Réal : C'est vrai, ça ! D'ailleurs, une chance que je n'ai pas mangé de bines ce matin. Sinon, ça irait mal dans la cabane !

Ma mère a évidemment profité de mon intrusion pour essayer de changer de sujet.

Ma mère : Léa ! Vous avez fini ?
Moi : Oui. On a révisé toute la matière pour son test, mais là, il faut que je m'occupe de mes études. Sinon, c'est moi qui vais *rusher* cette semaine !
Mon père (en me faisant de gros yeux) : D'ailleurs, tu ne voulais pas que je t'aide pour ta recherche d'histoire ?
Moi : Oui. Et j'aurai aussi besoin de maman pour m'aider à rédiger.
Ma mère (en se levant d'un coup) : Bon ! Je crois bien qu'on va devoir s'y mettre tout de suite.

Les Câlinours l'ont regardée sans réagir. Non seulement ils n'avaient aucun filtre, mais ils ne comprenaient clairement pas nos messages non subtils.

Mon père (en rajoutant une couche) : C'est vrai qu'il est déjà tard. Il vaut mieux commencer tout de suite si on ne veut pas passer la nuit là-dessus.

Toujours aucune réaction.

Ma mère : Voulez-vous un petit café avant de partir ?
Réal : Non merci. Ça me donne des gaz.
Ma mère : Hum. OK.

Silence.

Moi : Bon, ben, c'est ça qui est ça ! Je crois qu'on va devoir vous dire au revoir.

Mégane m'a serrée très (trop) fort contre elle.

Mégane : Tu vas *full* me manquer.
Moi (en la repoussant gentiment) : Mais non ! On se revoit déjà samedi prochain. Je vais t'attendre à 14 heures, comme prévu. Pour ce qui est de vous, Réal et Guylaine, je ne sais pas trop quand on aura la chance de se recroiser...
Guylaine (en se levant enfin) : Ne t'en fais pas ! Je vais venir te visiter !
Réal : Moi aussi ! Maintenant qu'on a repris contact avec vous, pas question de vous perdre de vue !

Ma mère, mon père et moi avons ri jaune.

Ils ont finalement franchi la porte d'entrée quarante minutes plus tard, alors qu'il commençait déjà à faire noir.

Moi (en me laissant tomber sur le sofa) : Ils ont passé six heures ici.
Ma mère (en soupirant) : Je sais.
Mon père (en clignant des yeux) : J'ai l'impression de sortir d'un rêve.
Moi : D'un cauchemar, tu veux dire ?

Mes parents m'ont regardée, puis nous avons finalement éclaté de rire en nous remémorant les moments les plus épiques de la journée. Je ne m'attendais pas à ça, mais le parasitage des Câlinours m'aura au moins permis de retrouver le sourire et de briser la tension entre mes parents et moi.

Mon père : En passant, Léa, je t'écoutais pendant ton tutorat, et je suis très fier de toi !
Moi : Quoi ? Tu veux dire que tu n'étais pas attentif au récit gastrique de Réal ?
Mon père : Je faisais un effort pour penser à autre chose !
Ma mère : Ils sont gentils...
Mon père : Mais un peu trop intenses.

Ma mère : D'ailleurs, merci, chérie, de nous avoir inventé un horaire surchargé.
Moi : De rien.
Ma mère (en me prenant la main) : Aujourd'hui, j'ai eu l'impression que je retrouvais ma Léa.
Moi : Pourtant, je n'étais partie nulle part.
Mon père : Ce n'est pas le *feeling* qu'on avait.

J'ai pris une profonde inspiration.

Moi : Vous avez raison. J'ai vécu un gros choc et ça m'a mise à l'envers. J'ai agi comme une nouille. Mais là, je vais m'arranger pour reprendre le dessus et vous prouver que je suis digne de confiance.

Mes parents ont échangé un regard complice avant de poser leurs yeux sur moi.

Ma mère : Parlant de ça, on en a discuté, et on accepte de te redonner l'accès à ton ordinateur portable à condition que tu fermes tout à 21 heures. Le reste demeure inchangé : pas de cellulaire et pas de sortie jusqu'à nouvel ordre.
Moi (en souriant) : Merci !
Mon père : Si tu continues sur la bonne voie, tu pourras peut-être même assister à ton bal de finissants.

J'ai écarquillé les yeux, le cœur battant. Je savais que mes parents étaient en colère, mais je ne m'attendais pas à ce qu'ils m'enferment dans ma chambre jusqu'en juin !

Ils ont finalement éclaté de rire avant de se faire un *high five*.

Moi : Eille ! Ce n'est pas drôle ! Vous m'avez vraiment fait paniquer !
Ma mère : Désolée, ma puce. Mais vaut mieux rire de tes malheurs que d'en pleurer.
Moi (en fronçant les sourcils) : Je pense que l'humour plate de Félix commence à déteindre sur vous.
Mon père : Ne sois pas si dure avec ton frère. Il a été le premier à se porter à ta défense cette semaine.
Moi (surprise) : Ah, ouais ?
Ma mère : Ton père a raison. C'est Félix qui nous a fait réaliser que même si tu avais eu tort de nous désobéir, au fond tu n'avais pas une once de méchanceté, tu étais sage depuis que tu étais née et qu'on devrait peut-être « *chiller* un peu ».

J'ai souri en l'entendant utiliser l'expression fétiche de mon frère. J'avoue que ça m'a fait chaud au cœur de savoir qu'il me défendait même quand je n'étais pas là, d'autant plus que je croyais qu'il m'avait complètement laissée tomber depuis qu'il avait retrouvé sa bonne humeur, son assurance et sa vie sociale.

On a finalement décidé de passer la soirée devant des films et on s'est commandé de la pizza. Il y a pire, comme punition !

Cet après-midi, Jeanne et Éloi sont venus chez moi. Comme j'ai de nouveau accès à mon ordi, on a regardé des vidéos en s'écrasant sur mon lit et on a joué un peu à la console avec Félix. C'était cool, mais je n'ai pu m'empêcher d'avoir un pincement au cœur en songeant à Alex. C'est vrai qu'Éloi était tranquillement en train de prendre sa place au sein de notre groupe.

Ce petit moment de faiblesse m'a d'ailleurs poussée à consulter sa page Instagram dès que mes amis sont partis. J'ai vu qu'il avait publié une nouvelle photo cet après-midi. Il s'agissait d'un cliché d'un écureuil qui mangeait une noix à quelques pas de son pied.

Mon nouvel ami. Vive les rongeurs ! #10km #CourirAuParc

Je n'ai pu m'empêcher de sourire. Ça me prouvait qu'il pensait encore à moi, même pendant ses entraînements. J'ai soupiré, puis je me suis forcée à fermer l'application et à le chasser de mes pensées. Après tout, ce n'est pas en m'émerveillant chaque fois qu'il fait référence à un écureuil que je vais faire mon deuil !

Heureusement, je sais que tu arrives bientôt et que tu pourras m'aider à me secouer les puces (rongeur, puces... la pognes-tu ?)

Je t'aime !
Léa xox

Jeudi 10 décembre

20 h 33

Éloi (en ligne): Tiens ! Une revenante cybernétique !

20 h 33

Léa (en ligne): Je sais !! J'ai accès à mon ordi depuis que vous êtes venus à la maison, mais je n'ai tellement pas de vie cette semaine que je n'ai même pas eu le temps de me connecter !

20 h 34

Éloi (en ligne): C'est à cause de moi, ça ! Je suis trop exigeant avec mes dates de remise pour le journal !

20 h 34

Léa (en ligne): Au moins, tu es flexible et je peux te supplier de m'accorder une journée de plus. Je ne peux pas en dire autant d'Annie-Claude qui voulait que je rédige l'invitation pour le bal en deux jours ! Depuis notre discussion avec Maude, elle est pas mal intransigeante avec nous.

20 h 35

Éloi (en ligne): C'est signe d'un bon leadership!

20 h 35

Léa (en ligne): Ou plutôt d'une dictature! 

20 h 36

Éloi (en ligne): Eille, crois-tu que ton emprisonnement sera terminé le 31?

20 h 36

Léa (en ligne): Aucune idée. Pourquoi?

20 h 37

Éloi (en ligne): Mes parents vont à Québec et m'ont autorisé à inviter quelques amis pour célébrer le jour de l'An!

20 h 37

Léa (en ligne): Trop cool ! J'espère juste que mes parents me laisseront y aller !

20 h 38

Éloi (en ligne): Moi aussi ! Ce serait poche que tu ne sois pas là.

20 h 38

Léa (en ligne): Mets-en. Mais cette fois-ci, pas question que je me sauve par la gouttière ! Qui d'autres comptes-tu inviter ?

20 h 39

Éloi (en ligne): Ton frère et ses amis. Quelques personnes de la classe. Jeanne, Katherine et Oli.

20 h 39

Léa (en ligne): Et Alex ?

20 h 40

Éloi (en ligne) : Ça dépend un peu de toi.

20 h 40

Léa (en ligne) : Tu es gentil d'être aussi loyal, mais je ne veux pas que notre histoire t'empêche d'être ami avec lui. Bref, invite-le.

20 h 40

Éloi (en ligne) : T'es sûre ?

20 h 41

Léa (en ligne) : Oui. Alex et moi avons discuté et ça va mieux. Même si notre amitié a écopé, on ne cherche plus à s'éviter. Ça, c'est sans compter qu'il se peut que je ne puisse même pas assister à ton party.

20 h 42

Éloi (en ligne) : OK, d'abord. Même si je sais pertinemment qu'en invitant Alex, Bianca va débarquer, suivie de près par José et sa gang.

20 h 42

Léa (en ligne): Et par Maude et ses nunuches.

20 h 43

Éloi (en ligne): Non!! Tu penses? Même si elle me hait?

20 h 43

Léa (en ligne): Maude ne pense qu'à une chose: surveiller son chum et l'attirer loin des griffes de Bibi!

Jeanne vient de se joindre à la conversation

20 h 44

Jeanne (en ligne): Salut! Léa, j'ai essayé de t'appeler à la maison, mais c'est occupé.

20 h 44

Léa (en ligne) : Ouais. Félix parle à son ex/future blonde depuis une heure. La bonne nouvelle, c'est que je suis maintenant joignable sur Skype ! 🙂

20 h 45

Jeanne (en ligne) : Cool ! Je voulais te dire que Sophie, Lydia, Maude et Marianne viennent de me commander chacune un t-shirt en rouge dans le small ! Je ne pensais jamais que notre vente connaîtrait autant de succès !

20 h 46

Léa (en ligne) : Et moi, je ne croyais pas que les nunuches allaient s'en procurer ! Il me semble que ce n'est pas trop leur style...

20 h 46

Jeanne (en ligne) : Ça le devient si elles font un nœud dans le dos et l'utilisent comme nouvel uniforme pour leur lave-auto. C'est leur idée de financement pour la France.

20 h 47

Léa (en ligne): Ça m'étonne que Maude se «rabaisse» à aider ses amies alors qu'elle ne participe pas au voyage.

20 h 47

Jeanne (en ligne): Lydia m'a dit que Marianne lui avait confié que Maude espérait encore pouvoir se joindre au projet.

20 h 48

Léa (en ligne): Hein? Mais elle n'arrête pas de me répéter que c'est «ultra *lame*» et que son voyage à New York sera mille fois plus cool.

20 h 48

Jeanne (en ligne): Bizarre. Mais je n'en sais pas plus.

20 h 49

Éloi (en ligne): Les filles, je dois vous laisser. Je n'ai pas fini mon travail d'éthique et culture religieuse.

20 h 49

Jeanne (en ligne): Moi non plus! D'ailleurs je dois appeler Kath pour qu'on travaille ça ensemble.

20 h 50

Léa (en ligne): Moi, c'est fait depuis plusieurs jours.

20 h 50

Éloi (en ligne): Wow!

20 h 51

Léa (en ligne): Ça fait partie des bienfaits de mon emprisonnement à domicile! Mais le désavantage, c'est que je dois aussi bientôt vous laisser parce que j'ai un couvre-feu virtuel qui approche...

20 h 51

Jeanne (en ligne): Chanceuse! J'ai tellement hâte d'avoir terminé mon étude. Je parlais de ça à Jules tantôt, et je trouve que cette matière ne sert pas à grand-chose.

20 h 52

Éloi (en ligne): Aaaaah! Il est encore dans le portrait, lui?

20 h 52

Jeanne (en ligne): Cybernétiquement parlant, oui!

20 h 52

Léa (en ligne): Ben là! On veut des détails!

20 h 53

Jeanne (en ligne): On *chat* plusieurs fois par semaine sur Messenger et on rit beaucoup ensemble. C'est toujours plus facile de discuter avec un gars quand ça se passe derrière un écran!

20 h 53

Éloi (en ligne): Ça sent le futur chum, ça!

20 h 54

Léa (en ligne): Tellement!

20 h 54

Jeanne (en ligne): Euh, non! Il habite à l'autre bout de la ville et je suis parfaitement bien toute seule.

20 h 55

Léa (en ligne): Pff! La passion vous aidera à surmonter les épreuves!

20 h 55

Éloi (en ligne): Sans compter que «l'amour ne connaît pas les distances»!

20 h 55

Jeanne (en ligne): Vous êtes beaucoup trop intenses pour moi! J'aime mieux aller étudier!

20 h 56

Éloi (en ligne): Alors, bonne nuit, Jeanne-au-cœur-tendre-malgré-les-apparences! Et bonne nuit à toi aussi, la *nerd*!

20 h 56

Jeanne (en ligne): Ha! Ha! À demain! xx

20 h 56

Léa (en ligne): Bonne nuit! 

À : Léa_jaime@mail.com
De : Marilou33@mail.com
Date : Dimanche 13 décembre, 10 h 42
Objet : Il faut que je te parle ! !

Salut ! J'ai tellement hâte que tu retrouves ton cellulaire pour que je puisse te joindre quand je veux. Je voulais t'appeler hier soir, mais je me suis dit que tes parents n'aimeraient pas trop que je téléphone à 23 h 45.

Peux-tu te connecter sur Skype quand tu liras ce courriel ? J'ai quelque chose à te raconter, et je préfère t'en parler de vive voix...

Lou xox

À : Marilou33@mail.com
De : Léa_jaime@mail.com
Date : Dimanche 13 décembre, 11 h 52
Objet : Écris-moi !

Salut ! Moi aussi j'ai hâte de retrouver mon téléphone, FaceTime et compagnie ! Ma tante et mon oncle viennent passer la journée à la maison, alors je n'aurai pas le temps de me connecter avant ce soir (s'ils partent avant 21 heures). Heureusement que j'ai pris mes courriels avant qu'ils arrivent ! J'ai supplié mes parents de m'accorder cinq minutes pour te répondre, et je crois que je pourrai négocier une petite pause plus tard, alors raconte-moi tout par *mail*, OK ? Ça m'intrigue et m'inquiète !

Léa xox

À : Marilou33@mail.com
De : Léa_jaime@mail.com
Date : Dimanche 13 décembre, 12 h 32
Objet : Mini-résumé

Je te fais un mini-résumé puisque je dois aussi partir bientôt ; ma mère passe quelques jours à Québec, alors mon père vient nous chercher dans quelques minutes. On est censés aller à la patinoire et au restaurant, alors je ne sais pas non plus si je pourrai te joindre avant 21 heures.

Vendredi après les cours, j'ai vu JP qui m'attendait à mon casier.

Moi : Eille ! Je ne m'attendais pas à te voir ici !
JP (en m'embrassant) : Salut ! Je voulais m'assurer que tu étais libre demain.
Moi : Hum ? Pourquoi ?
JP : Surprise !

Moi : Oh ! C'est quoi ?
JP : Si je te le dis, ce ne sera pas une surprise. Rejoins-moi chez nous vers 18 heures.
Moi : OK. Est-ce que ça veut dire qu'on ne peut pas se voir ce soir ?
JP (en grimaçant) : Négatif. Comme Sarah et Thomas se sont encore engueulés, je vais passer la soirée chez lui.
Moi (en secouant la tête, découragée) : Pourquoi il s'acharne à rester avec elle ? Il ne voit pas que c'est une folle infidèle finie ?
JP (en me faisant des gros yeux) : Lou, tu m'as promis de ne plus te mêler de leurs vies. Après tout, c'est toi qui as foutu le bordel dans leur relation.
Moi : Ben là ! J'ai juste ouvert les yeux de Thomas !
JP : Ouais, c'est le cas de le dire...

JP a détourné le regard sans rien ajouter.

Moi : Qu'est-ce que tu veux dire par là ?
JP : Rien. Je ne veux plus parler de ça. Ce n'est pas de nos affaires.
Moi (en sortant mon cellulaire et en lui montrant les textos de Sarah) : Oui, ce l'est ! La preuve, c'est qu'elle me menace ! Elle a sauté les plombs, JP !
JP : Pourquoi tu ne m'as pas montré ça avant ?
Moi (en haussant les épaules) : Je ne voulais pas qu'on se chicane.

JP : Je n'aurais pas été en colère contre toi, Lou. Je le vois bien que c'est elle qui t'attaque !
Moi : Peux-tu le dire à Thomas ? J'ai espoir que ça le convaincra de la *flusher*.
JP : Je pense qu'il en a assez sur les bras en ce moment.
Moi : Qu'est-ce que tu veux dire par là ?

JP a soupiré avant de poursuivre.

JP : Depuis que tu lui as raconté le truc du party, il est devenu un peu suspicieux. Hier, il a pris le cellulaire de Sarah pendant qu'elle était sous la douche et il a vu des textos vraiment louches entre elle et un gars.
Moi : Quel gars ?
JP : Ça, c'est un détail.
Moi : C'est Jonathan, c'est ça ? JP ! Il faut que tu me le dises ! Pense un peu à Laurie !
JP : Ouais. C'est lui.
Moi : Qu'est-ce que Thomas a fait ?
JP : Il a confronté Sarah à ses textos et il a cassé avec elle. Il paraît qu'elle l'a supplié toute la nuit de lui pardonner.
Moi : Wow. Quelle conne !
JP : Ouais. C'est pour ça que je vais lui tenir compagnie. Et toi, tiens-toi loin d'elle et ne te mêle pas de ça. C'est compris ?
Moi (en me rongeant les ongles) : JP, je ne peux pas cacher ça à Laurie.

JP : C'est ton amie. C'est toi qui sais. On se voit demain, OK ?

Il m'a embrassée et je suis rentrée chez moi. Je me sentais torturée. D'un côté, je ressentais le devoir de tout avouer à Laurie avant qu'elle aille plus loin avec Jonathan, mais de l'autre, elle m'avait fait comprendre très clairement qu'elle ne voulait plus que je m'en mêle. Sans compter que j'avais peur qu'elle m'en veuille de faire éclater sa relation. J'ai finalement appelé Steph pour avoir son avis, et on a décidé qu'on lui en parlerait de vive voix. Comme Jonathan est à Montréal en fin de semaine, je me suis dit que ça pouvait attendre jusqu'à lundi.

Ma décision m'a permis de souffler un peu et de me concentrer sur la surprise de JP. Quand je suis arrivée chez lui hier soir, j'ai d'ailleurs vite réalisé qu'on était seuls. Il avait tamisé les lumières et il coupait des légumes dans la cuisine.

Moi : Wow ! Tu as cuisiné pour moi ?
JP : Yep ! La seule chose qui convient à mes talents de cuisinier : de la fondue chinoise !
Moi : Je suis pas mal impressionnée ! Tes parents ne sont pas là ?
JP : Non. Ils sont au Saguenay jusqu'à demain.

Il m'a tendu la main et m'a guidée jusqu'à la table.

JP : Veux-tu boire quelque chose ? Du jus ? De la bière ? Du vin de mes parents ?
Moi : Juste de l'eau. Sinon, j'ai peur de m'endormir avant le dessert.

On a soupé en discutant de tout et de rien. Quand on a terminé, il m'a attirée vers lui et je me suis assise sur ses genoux.

Moi : Merci. C'était une belle surprise !
JP : Ce n'est pas tout.
Moi : Hum ? Tu m'as aussi acheté une décapotable ?
JP : Presque...

Il s'est levé et m'a guidée vers sa chambre. Quand il a ouvert la porte, j'ai eu le souffle coupé.

1- Il avait fait le ménage, ce qui est un miracle dans son cas.
2- Il y avait des chandelles allumées partout et de la musique douce qui jouait. C'était incroyablement romantique.

Moi : Wow ! C'est propre et ça sent bon !
Il a ri et m'a tendu une marguerite.

JP : Joyeux anniversaire ! En retard.
Moi : Euh, c'est gentil, mais ma fête est en février.
JP : Je parle de notre anniversaire ! Avec tous les drames qu'on a vécus, c'est difficile de garder le fil, mais on a commencé à se fréquenter il y a deux ans, vers la fin novembre. Et je tenais à le souligner, même si c'est un peu en retard.
Moi (en le serrant contre moi) : Merci, JP. Tu es incroyable.

On s'est embrassés, puis il m'a attirée vers son lit. Mon cœur battait à tout rompre.

JP : Si tu veux, on peut juste se coller.

Je me suis contentée de sourire. J'aimais le fait qu'il soit aussi respectueux et qu'il insiste pour y aller à mon rythme.

On a commencé à s'embrasser, et les choses se sont enchaînées. Je ne veux pas rentrer dans les détails par courriel, mais disons que je me sens un peu (très) différente aujourd'hui, et que j'ai (extrêmement) besoin d'en parler à ma meilleure amie. Si on ne peut pas se joindre ce soir, je t'appelle demain sans faute, OK ?

J'ai hâte de te voir ! Plus que quinze jours !
Lou xox

Chapitre 6 : Confidences et sandwich aux cretons

Lundi 14 décembre

17 h 33

Léa (en ligne): Lou ? T'es là ?

17 h 33

Marilou (en ligne): Oui ! J'essaie de faire mon travail d'éthique, mais je n'arrive pas à me concentrer. J'espérais justement que tu te connectes.

17 h 34

Léa (en ligne): Veux-tu que je t'appelle ?

17 h 34

Marilou (en ligne): Non ! Mon père et Zak sont juste à côté. J'aurais trop peur qu'ils m'entendent.

17 h 34

Léa (en ligne): Préfères-tu qu'on se parle plus tard ou tu veux en discuter ici ?

17 h 35

Marilou (en ligne) : Je pense que ça va me faire du bien de me confier maintenant.

17 h 35

Léa (en ligne) : Je t'écoute ! Comment vas-tu ?

17 h 36

Marilou (en ligne) : Dur à dire. Un mélange d'émotions.

17 h 36

Léa (en ligne) : Est-ce que ça s'est bien passé ?

17 h 36

Marilou (en ligne) : Oui. C'était juste très différent de ce que je m'étais imaginé.

17 h 37

Léa (en ligne): Lou, il va falloir que tu sois un peu plus généreuse dans tes explications! N'oublie pas que tu as affaire à une fille qui n'a pas d'expérience dans le domaine et qui a de la misère à comprendre tes sous-entendus. 😉

17 h 38

Marilou (en ligne): Je m'excuse! Je suis juste tellement déconcertée que j'arrive pas à trouver les bons mots. Disons que d'un côté, c'était génial de vivre ça avec JP, car je ne me suis jamais sentie aussi proche de lui, mais d'un autre, j'étais vraiment nerveuse et peut-être un peu trop dans ma tête. Genre que je n'arrivais pas toujours à me laisser aller sur le moment.

17 h 38

Léa (en ligne): Et après, c'était comment?

17 h 39

Marilou (en ligne): Une minute, je me sentais au paradis dans ses bras. On était tellement bien collés l'un contre l'autre.

17 h 39

Léa (en ligne) : Et l'autre ?

17 h 39

Marilou (en ligne) : Je ne sais pas. Je me sentais très… gênée. Pourtant, je ne suis pas la fille la plus pudique du monde, et ce n'était pas la première fois que JP me voyait comme ça.

17 h 40

Léa (en ligne) : Ma théorie va peut-être te sembler débile, mais c'est peut-être parce que cette fois-ci, tu te mettais complètement à nu. Dans tous les sens du terme.

17 h 40

Marilou (en ligne) : Ce n'est pas con. Au contraire, je pense que tu as raison. Je trouve juste ça plate de me sentir aussi confuse bien que j'aie respecté toutes mes règles.

17 h 40

Léa (en ligne) : Qu'est-ce que tu veux dire ?

17 h 41

Marilou (en ligne): Ça fait deux ans que je sors avec mon chum, ce qui nous a permis d'apprendre à nous connaître à tous les niveaux et de franchir les étapes une à une. Je me suis assuré d'en avoir envie et j'ai vraiment attendu de me sentir complètement prête et de le faire dans une atmosphère rêvée. Et malgré tout ça, je n'arrive pas à calmer le petit hamster dans ma tête. Qu'est-ce qui cloche avec moi, tu penses?

17 h 42

Léa (en ligne): Lou, tu viens de vivre l'un des moments les plus importants dans la vie d'une fille! C'est normal que ça te vire à l'envers!

17 h 42

Marilou (en ligne): Tu penses?

17 h 43

Léa (en ligne): Ben oui! Te souviens-tu à quel point ton premier *french* avec Junior t'avait marquée?

17 h 43

Marilou (en ligne): Ça, c'est surtout parce que c'était digne d'une visite aux chutes Niagara!

17 h 44

Léa (en ligne): L'excès de salive n'a peut-être pas aidé, mais je crois qu'avant tout, tu te sentais ébranlée d'avoir franchi une autre étape. Comparé à ça, c'est normal que ton intimité avec JP te fasse vivre des montagnes russes d'émotions. Laisse-toi un peu de temps pour assimiler ce qui est arrivé, et tu verras que tu te sentiras beaucoup mieux.

17 h 44

Marilou (en ligne): Ouais. Tu as sûrement raison. Je suis peut-être juste en choc post-première-fois!

17 h 45

Léa (en ligne): Exact. Et il se peut très bien que JP se sente comme toi. Est-ce que vous avez discuté après que c'est arrivé?

17 h 45

Marilou (en ligne): Non. On s'est collés pendant un bout, puis je suis rentrée à la maison. Honnêtement, je ne savais pas trop comment lui expliquer le raz-de-marée qui m'envahissait, et j'avais besoin d'être seule pour démêler tout ça. Quand je suis arrivée chez moi, j'ai prétexté un mal de tête pour m'enfermer dans ma chambre. Je sais que c'est niaiseux, mais j'avais peur que mon père devine ce qui s'était passé.

17 h 46

Léa (en ligne): Il aurait peut-être remarqué que tu étais un peu troublée, mais je suis pas mal certaine qu'il ne se serait pas imaginé ça. N'oublie pas que nos pères trouvent ça beaucoup plus simple de nier le fait qu'on vieillit!

17 h 47

Marilou (en ligne): Tu as raison.

17 h 47

Léa (en ligne): Vas-tu en parler à ta mère?

17 h 48

Marilou (en ligne): Je ne sais pas. Je t'avoue que ça me gêne un peu.

17 h 48

Léa (en ligne): Je te comprends d'être mal à l'aise, mais comme vous êtes plus proches qu'avant, sa réaction pourrait te surprendre. Surtout qu'elle a abordé le sujet avec toi il n'y a pas si longtemps.

17 h 49

Marilou (en ligne): C'est vrai. J'espère juste qu'elle ne capotera pas.

17 h 49

Léa (en ligne): Je pense au contraire qu'elle va apprécier ta confiance.

17 h 49

Marilou (en ligne): HA! Je ne peux pas croire qu'on parle de ça! Tout était tellement plus simple quand l'amour de ma vie était Justin Bieber!

17 h 50

Léa (en ligne): Ça va aller, Lou. Je te promets! Et comme tu t'apprêtes à me rejoindre dans ma quarantaine, on pourra analyser tout ça de vive voix.

17 h 50

Marilou (en ligne): Ça m'aidera de prendre un peu de recul. Merci d'être là pour moi, Léa. 🙂

17 h 50

Léa (en ligne): C'est ma *job*! 🙂 Je vais te laisser, car je dois aider mes parents à mettre la table, mais tu me promets de me faire signe (par ordi ou téléphone) si jamais tu as besoin de parler?

17 h 51

Marilou (en ligne) : Juré !

18 h 03

Léa (en ligne) : Je t'aime et j'ai hâte de te serrer dans mes bras ! xox

18 h 03

Marilou (en ligne) : Moi aussi ! xox

À : Marilou33@mail.com
De : Léa_jaime@mail.com
Date : Jeudi 17 décembre, 19 h 32
Objet : Moment surréel dans les toilettes

Salut, Lou !
Est-ce que tout va bien ? As-tu revu JP ? Et est-ce que tu as eu la fameuse grosse discussion avec ta mère ? Avec tout ce qui s'est passé dans ta vie, on a complètement oublié de parler de Laurie, mais est-ce que tu lui as dit ce que tu avais appris, finalement ? Si oui, comment a-t-elle réagi ? Et Thomas, as-tu des nouvelles ? Faute d'avoir un cellulaire, il va falloir que tu me racontes tout ça par courriel !

De mon côté, il est arrivé quelque chose d'assez surprenant aujourd'hui alors que je me rendais au local du journal. J'ai fait un arrêt aux toilettes et pendant que j'étais dans une cabine, quelqu'un est entré en pleurant.

Fille qui pleure : Mais je me fous de ce que Marie-Pier a planifié ! Ça n'a pas à avoir d'impact sur MA vie !

J'ai écarquillé les yeux en reconnaissant la voix de Maude. Elle parlait visiblement au téléphone avec quelqu'un. Qui pouvait la mettre dans cet état ? José ?

Maude : Tu ne comprends pas, papa ! C'est vraiment important pour moi.

Je parie qu'elle pleure parce qu'il ne veut pas lui acheter de poney.

Maude : Mais toutes mes amies y vont. Et c'est mon secondaire 5 !

J'ai collé mon œil contre la serrure pour l'observer. Son visage était couvert de larmes et elle semblait désespérée. Pendant une fraction de seconde, j'ai presque ressenti de l'empathie pour elle.

Maude : Mais comme c'est un ami, tu pourrais sûrement t'arranger pour changer la date du *booking*, non ?

Je l'ai entendue soupirer.

Maude : Et depuis quand c'est *elle* qui décide ? Elle n'est pas ma mère, à ce que je sache ! Tu as juste à lui dire que ta fille a déjà prévu un voyage à Paris et qu'elle n'a pas envie de rencontrer son ami *nobody* qui se prend pour un photographe !

Est-ce que je rêve ou Maude est en train de supplier son père de la laisser participer au voyage en France ? Tout ça après qu'elle m'a fait croire qu'elle n'avait aucun intérêt pour notre «projet de ratés»?

Maude : Donc tu es en train de me dire que tu préfères me forcer à participer à un *shooting* amateur plutôt que de me laisser réaliser mon rêve ? Ce n'est pas juste, papa !

C'est là que j'ai allumé. Au fil des années, j'ai compris à travers les branches (et le commérage de Lydia et Sophie) que la situation familiale de Maude n'était pas simple, et qu'apparemment, elle ne portait pas sa belle-mère dans son cœur.

Maude : Je vais en parler à maman ! Je suis sûre qu'elle sera de mon bord et qu'elle comprendra que je ne veux pas laisser filer une occasion comme ça pour faire plaisir à ta Marie-Pier.

Elle a raccroché et a éclaté en sanglots. J'ai retenu mon souffle. Je ne savais pas trop quoi faire. Je ne l'avais jamais vue dans cet état-là. Pour être honnête, ça me déstabilisait de voir Maude aussi vulnérable. Un côté de moi avait envie de la consoler, mais un autre avait peur qu'elle sorte ses griffes. J'ai finalement décidé de rester dans ma cabine le temps qu'elle se calme. Comme mon ventre criait famine, j'ai sorti mon sandwich aux cretons de mon sac et j'ai abaissé le couvercle de la cuvette pour m'asseoir.

Je mange dans les toilettes à cause de Maude. On dirait un flashback de mon secondaire 3 !

Quand j'ai eu terminé, je me suis relevée et j'ai appuyé sur la chasse d'eau par réflexe.

Bravo, épaisse ! Maintenant, elle sait que quelqu'un se trouve dans la cabine !

Les pleurs de Maude ont aussitôt cessé. Je me suis avancée vers le trou de la serrure en priant le Dieu des nunuches pour que le bruit de la chasse l'ait fait fuir. J'ai plutôt croisé son regard perçant.

Maude : Qui est là ?
Moi (en prenant une voix aiguë) : Euh... C'est Maëlle.
Maude : T'es qui, toi ?
Moi : Une élève de secondaire un.
Maude : Pourquoi as-tu une voix si bizarre, Maëlle ?
Moi : Euh... Parce que j'ai la grippe.
Maude : Et pourquoi tu ne sors pas qu'on ait une petite discussion, toi et moi ?

J'avais l'impression d'être le Petit Chaperon rouge.

Moi : Je... Je ne peux pas. Je suis indisposée.

Maude : Tu me prends pour qui, Maëlle la rejet ? Je vois bien que tu es debout devant la porte, alors arrête de me faire croire que tu souffres d'une diarrhée virulente, pis sors de là !

J'ai soupiré et j'ai ouvert la cabine. Les yeux de Maude sont pratiquement sortis de leurs orbites quand elle m'a vue.

Maude : Évidemment que c'est toi ! Qui d'autre est assez épaisse pour s'inventer une fausse identité. Léna, ce n'était pas assez ? Tu avais aussi besoin de Maëlle ?
Moi (en m'efforçant d'ignorer son insulte) : Je ne voulais pas que tu te sentes mal parce que j'étais là...
Maude : Pourquoi je me sentirais mal devant toi ? Tu te prends pour qui, espèce de lardon ?
Moi (en serrant les poings) : Pour une fille qui t'a entendue pleurer et supplier ton père de participer à un voyage que tu rabaisses depuis des semaines !

Maude m'a affrontée du regard. Pour une fois, je sentais qu'elle manquait de munitions. Elle ne pouvait quand même pas nier ce que j'avais entendu.

Maude : Si tu penses que tu peux me faire peur en me menaçant de raconter ça au monde, tu prends tes rêves pour la réalité.

Moi : Contrairement à toi, je suis capable d'empathie, Maude. Et mon but dans la vie n'est pas de te faire chanter. J'ai mieux à faire.

Elle s'est contentée de hocher la tête d'un air supérieur avant de s'installer devant le miroir pour se refaire une beauté.

Maude (en se tapotant les yeux avec un tampon démaquillant) : Je ne sais pas ce que tu crois que tu as entendu, mais ma vie est pas mal trop compliquée pour tes capacités cérébrales.
Moi (en demeurant en retrait) : Ta belle-mère t'a organisé un *shooting* photo à New York pour faire plaisir à l'un de ses amis qui commence dans le domaine et ça tombe en même temps que le voyage en France. Et le pire dans tout ça, c'est que même si ça ne t'intéresse pas d'y aller, ton père refuse de prendre ton parti parce qu'il ne veut pas décevoir sa blonde.

Maude s'est figée, puis elle s'est tournée vers moi, incrédule.

Moi (pince-sans-rire) : Quoi ? Tu ne pensais pas que mon cerveau de pépin était capable d'assimiler toutes ces informations ?

Maude (en plissant les yeux, puis en se retournant vers le miroir pour s'appliquer du mascara) : Qu'est-ce que tu veux, *Maëlle* ?
Moi : Rien.
Maude : Pff. Je ne suis pas épaisse. Rien n'est gratuit dans la vie. Accouche. Je n'ai pas que ça à faire. Qu'est-ce que tu veux en échange de ton silence ?
Moi : Pourquoi est-ce que j'aurais absolument besoin de quelque chose de ta part ?
Maude (en se tournant brièvement vers moi pour me dévisager) : Si j'étais aussi... ordinaire que toi, je m'arrangerais pour me rendre plus intéressante. Mais ça, c'est juste mon opinion.
Moi : Tu pourrais commencer par être moins agressive.
Maude (en sortant son brillant à lèvres) : Je suis très calme. J'essaie juste de t'apprendre les règles de la vie.

J'ai froncé les sourcils et j'ai réfléchi quelques secondes.

Moi : C'est vrai qu'il y a peut-être un truc qui ferait mon bonheur.
Maude : Tu veux que je te prête José parce que tu es tannée d'être entourée de jeunes prépubères sans expérience ?
Moi (en plissant les yeux) : Les chums que j'ai eus m'ont rendue très heureuse, tu sauras.
Maude : Je ne me vanterais pas trop d'Éloi, si j'étais toi.
Moi (du tac au tac) : Au moins, il était fidèle, *lui* !

Maude (en se retournant vers moi) : Qu'est-ce que tu essaies d'insinuer, face de mouche ?
Moi (en soupirant) : Rien. Ton attitude m'a juste fait perdre les pédales.
Maude (en secouant la tête) : Tu n'as tellement pas de vie.
Moi : Tu es mal placée pour m'insulter, Maude.
Maude : Arrête tes discours moralisateurs, pis crache le morceau. Qu'est-ce que tu veux ?
Moi : J'aimerais ça qu'on fasse un pacte.
Maude (en feignant le dégoût) : Si tu penses que je vais être ton amie, tu te mets le doigt dans l'œil.
Moi (en roulant les yeux) : Je n'ai rien à faire de ton amitié, Maude. Ce que je veux, c'est qu'on soit honnête l'une envers l'autre. Il ne nous reste que six mois à s'endurer, et je pense qu'on se doit ça.
Maude : Je ne te dois rien, chose.
Moi : Si je suis loyale et je respecte ton intimité, je pense au contraire que je mérite la même chose.
Maude : Ça veut dire quoi, ça ? Que tu veux que j'arrête de publier des photos de toi en train de vomir ?
Moi : Que j'aimerais qu'on se dise les vraies choses au lieu d'inventer des trucs pour blesser l'autre !
Maude (en haussant un sourcil) : La vérité est souvent pas mal plus cruelle que tu penses.
Moi : Peut-être, mais je la préfère aux fausses rumeurs.
Maude (en se tournant à nouveau vers moi) : Si tu fais allusion au gars qui ne veut rien savoir de toi, tout ce que je

t'ai dit est vrai. José m'a dit que Bianconne lui avait raconté qu'elle avait embrassé Alex. Fais ton deuil. De toute façon, il a toujours été hors de portée.
Moi : Ça veut dire quoi, ça ?
Maude : Qu'Alex est cool. Et que tu ne lui arrives pas à la cheville.
Moi (en plissant les yeux) : C'est quoi, ton problème ?
Maude (en haussant les épaules) : C'est toi qui voulais que je sois honnête.

Ça m'apprendra à vouloir faire un pacte avec le diable.

Moi : De toute façon, je m'en fous. Alex ne m'intéresse pas.
Maude : Ouais, c'est ça. Et moi, je ne veux pas que mon père *flushe* sa cruche.
Moi (en profitant de son allusion pour essayer d'avoir une conversation semi-cordiale avec elle) : Peut-être que si tu en parlais vraiment à ta mère, elle t'aiderait à le convaincre ?
Maude (en gloussant) : Penses-tu que je vis dans ton monde de Câlinours, *Maëlena* ? Ma mère et mon père ne se parlent même plus. Et comme le voyage tombe pendant ma semaine chez lui, elle n'a pas un mot à dire. D'autant plus que c'est lui qui paie pour tout.
Moi : Et si tu refusais d'aller à New York et que tu payais toi-même le voyage ?

Maude : Je ne sais pas si tu m'as vue, mais je ne suis pas du genre à me rabaisser à vendre des beignes dans un restaurant miteux au salaire minimum.
Moi (en prenant une inspiration pour éviter de l'étriper) : OK, mais tous tes *shootings* supposément prestigieux et tes apparitions à la télé ont bien dû te rapporter de l'argent, non ?
Maude (en rangeant son maquillage dans sa trousse et en enfilant sa veste en cuir) : Oui, mais contrairement à toi, je ne m'habille pas au marché aux puces. Je porte des vêtements griffés qui coûtent cher.

Annie-Claude est entrée dans les toilettes à cet instant.

Maude (en s'avançant vers moi et en me prenant par le cou) : Salut, Annie-Rose !
Annie-Claude (en roulant les yeux) : C'est Annie-*Claude*.
Maude : Comme tu vois, ma bonne amie Léa et moi on profitait d'une petite pause pour se raconter nos secrets et essayer de lui refaire une beauté. Mais je viens de réaliser que c'était une mission impossible. *Ciao*, le poivron !

Elle m'a fait un clin d'œil et elle est partie en coup de vent.

Annie-Claude : Elle ne t'en a pas trop fait baver, j'espère ?
Moi (sarcastique) : Est-ce que ça veut dire que tu ne crois pas à notre nouvelle *BFF*itude ?

Annie-Claude a pouffé de rire.

Annie-Claude : Pas une seconde ! Mais l'important, c'est que votre fausse amitié permette au comité d'avancer.
Moi : On se tolère à nos heures. C'est déjà ça.
Annie-Claude : Avant que tu te sauves, je voulais te parler d'une idée que j'ai eue.
Moi : Je t'écoute.
Annie-Claude : Je me suis dit que ce serait le *fun* de faire voter les gens pour élire le roi et la reine du bal, le soir de l'événement.
Moi (en grimaçant) : Sérieux ? Ce n'est pas un peu trop américain comme tradition ?
Annie-Claude : Le Québec fait partie de l'Amérique...
Moi : Je faisais allusion à nos voisins du Sud.
Annie-Claude (en haussant les épaules) : Je trouve que ce serait cool.
Moi : Moi, je pense que ça nous rabaisserait encore à un concours de popularité. Et après cinq ans de cliques et de rejetitude, j'aimerais ça qu'on passe à autre chose.
Annie-Claude : On n'est plus en secondaire un, Léa. La « popularité » ne veut plus dire la même chose qu'avant, et les cliques ont perdu leur pouvoir. Je pense que les gagnants, ce seront ceux qui dégagent la plus belle énergie et qui sont gentils avec les autres.
Moi : Et moi, je crois au contraire que ce sera nul autre que Maude Ménard-Bérubé et José Martinez.

Annie-Claude (en tendant la main vers moi) : Es-tu prête à parier ?
Moi : Euh, OK. À condition que tu me prêtes de l'argent.
Annie-Claude : Allons-y plutôt avec un pari original.
Moi : Comme quoi ?
Annie-Claude : La gagnante pourra choisir n'importe quel défi que la perdante devra relever le soir du bal.
Moi (en serrant sa main) : *Deal* ! J'aime ça ! Bon, il faut que je me sauve. On se voit plus tard !

En sortant des toilettes, je suis entrée directement en collision avec quelqu'un, ce qui m'a fait perdre pied. J'ai crié avant de me retrouver sur les fesses.

Moi : AYOYE !

Je me suis frotté l'avant-bras avant de lever la tête. Alex. Évidemment.

Alex (en me regardant d'un drôle d'air) : Ça va ?
Moi : Ouais. Même si ta poitrine est anormalement dure.
Alex (en riant et en se tapotant le torse) : Ça, c'est à cause de mon nouveau physique de plage.
Moi : Tu étais plus confortable sans pectoraux.
Alex : Sans blague, je m'excuse, Rongeur. Je ne t'avais pas vue ! Bianca était en train de me montrer une photo du

sentier qu'elle veut me faire parcourir au printemps. Elle est folle ! Il y a de la bouette partout !

J'ai tourné la tête en direction de Bibi, qui se trouvait un peu en retrait.

Bianca (en roulant les yeux) : Tu exagères tellement, Alex ! Dis-toi plutôt que c'est le genre d'aventures dont on se souviendra toute notre vie !

J'ai baissé les yeux pour cacher mon agacement. Même si j'étais déterminée à passer à autre chose, les plans d'avenir d'Alex et de Bibi me tapaient royalement sur les nerfs.

Alex (en me tendant la main) : Allez, Rongeur. Je vais t'aider à te remettre sur pied.
Une voix masculine derrière moi : C'est bon, je m'en occupe !

Olivier est apparu de nulle part et m'a soulevée de terre en un rien de temps.

Moi (en riant) : Wow ! Ça, c'est de l'efficacité !
Oli : Ce que tu ne sais pas, c'est que je reçois une espèce de signal interne chaque fois que tu te mets les pieds dans les plats.

Moi : Et tu te transformes en Super-Oli pour venir me secourir ?
Oli : Exact !

J'ai jeté un œil en direction d'Alex, qui semblait un peu agacé par la situation.

Alex : C'était de ma faute, *man*. J'aurais pu l'aider.
Oli : Bah, ce n'est rien. Je suis habitué de me lancer à sa rescousse.
Bianca (en tirant Alex par le bras) : Tu viens, Alex ? On doit être au local étudiant dans deux minutes.
Alex (d'un air sérieux) : Ouais, j'arrive. *Ciao*, Rongeur.

Quand Oli m'a finalement déposée par terre, je me suis empressée de le remercier.

Moi : Tu ne sais pas à quel point ton intervention est tombée à point !
Oli (en me regardant d'un drôle d'air) : C'est sûr que ç'a dû te faire un petit velours de le voir jaloux !
Moi (en rougissant) : Je pense que tu exagères.
Oli : Tellement pas. Ç'avait vraiment l'air de l'énerver que tu sois dans mes bras.
Moi (en feignant l'indifférence) : Tant pis pour lui.
Oli : Ha ! Tu mens tellement mal.

J'ai souri. J'étais contente qu'on puisse enfin être aussi à l'aise l'un envers l'autre.

Moi (en me mordant la lèvre) : C'est vraiment cool d'avoir joué au Super-Oli, mais je ne voudrais surtout pas que ton nouveau rôle fasse de peine à Katherine ni qu'elle s'imagine quelque chose si elle me voit dans tes bras.
Oli : Ne t'en fais pas pour Kath. Elle sait très bien ce que tu vis et elle comprendra que tu as parfois besoin de moi pour faire rager Alex.
Moi : Et est-ce que ça évolue un peu entre vous ?
Oli (en me faisant un clin d'œil) : Petit train va loin.

J'ai souri et je l'ai remercié une dernière fois avant de me précipiter au local du journal pour travailler sur mon prochain article avant la reprise des cours. Annie-Claude m'a donné envie d'écrire à propos de l'élection de la reine et du roi du bal. J'espère que je me trompe, mais j'ai sincèrement l'impression que c'est moi qui vais gagner son pari.

Bon, je te laisse ! J'ai deux examens lundi et comme je dois passer une partie de mon samedi avec Mégane, il faut que je prenne un peu d'avance.

Donne-moi des nouvelles dès que tu peux !
Léa xox

À : Léa_jaime@mail.com
De : Marilou33@mail.com
Date : Dimanche 20 décembre, 13 h 32
Objet : 8 jours avant Montréal !

Salut ! Je m'excuse d'avoir été si lente à te répondre. J'ai aussi plein d'examens cette semaine et je voulais avancer mes trucs avant de t'écrire.

Laisse-moi d'abord te dire que j'ai adoré ton interaction avec la reine des nunuches. Même si tu ne t'es pas laissé marcher sur les pieds, tu as fait preuve de maturité en ne tombant pas dans son petit jeu. Pour être honnête, je trouve ça cool que tu aies surpris sa conversation, car ça nous prouve que derrière sa carapace se cache possiblement un humain capable d'émotions. Au fil des années, Maude est devenue une figure presque mythique pour moi. J'ai appris à la détester avec passion, mais contrairement à d'autres (pour ne pas dire Sarah Beaupré), j'ai toujours eu l'impression qu'elle agissait en partie comme ça pour cacher une certaine fragilité. Et maintenant, on en a la preuve !

Parlant de l'autre diablesse, je n'ai toujours pas eu de nouvelles depuis ses fameux textos. Comme elle travaille très fort à reconquérir le cœur de Thomas, je crois que ça la tient occupée, ce qui fait évidemment mon affaire et me permet de concentrer toute mon énergie sur mes études et sur JP.

Pour répondre à une autre de tes questions, je t'avoue que le dénouement inattendu dans ma vie amoureuse m'a tellement occupé l'esprit que je n'ai pas eu le courage de tenir tête à Laurie. Mais vendredi, Steph m'a finalement convaincue de le faire.

Steph (en s'assoyant à côté de moi dans la cafétéria) : Salut ! Vite, on n'a pas beaucoup de temps ! Laurie s'en vient.
Moi : Hum ? De quoi tu parles ?
Steph : Du fait qu'il faut absolument que tu lui dises ce que tu as appris à propos de Jonathan et Sarah.
Moi : En fait, j'y ai repensé, et je ne sais pas trop si ce sont de nos affaires. D'autant plus qu'on n'a pas de preuve tangible qu'il l'a trompée.
Steph : Le bonheur de notre amie est en jeu, Lou.
Moi : Je sais. Mais elle m'a répété mille fois qu'elle ne voulait pas que je lui parle de ça, parce qu'elle fait confiance à son chum. Si je lui avoue ce que je sais, non seulement elle sera anéantie, mais elle se fâchera contre moi.
Steph (intransigeante) : C'est un risque qu'il faut prendre. Je refuse qu'elle se laisse jouer dans le dos par un con comme lui.
Moi (un peu surprise) : C'est rare que je te voie dans cet état-là.

Steph a jeté un regard nerveux autour d'elle, puis elle s'est penchée vers moi.

Steph : Si je te dis quelque chose, il faut que tu me jures sur la tête de Jean-Philippe que tu ne vas le répéter à personne.
Moi (en levant la main, un peu inquiète) : Juré, craché.
Steph : Samedi soir, j'ai dormi chez Laurie. On parlait de gars et de relations, et elle m'a finalement confié que son chum était pas mal plus... expérimenté qu'elle.
Moi : Ça veut dire quoi, ça ?
Steph : Tu l'as vu, Lou ! Tu sais à quel point il est beau et populaire. Il a eu plein de blondes avant Laurie.
Moi : Ouin, pis ?
Steph : C'était assez sérieux avec son ex, et ils ont couché ensemble. Laurie m'a dit que même s'il n'avait jamais fait de pression, son passé la rendait parfois un peu nerveuse. Genre qu'elle sait très bien qu'il attend juste qu'elle lui fasse un signe avant de passer à une autre étape.

J'étais un peu gênée de parler de tout ça après ce que j'avais vécu avec JP.

Moi (en m'efforçant de cacher mon malaise) : Je comprends. Et Laurie, est-ce qu'elle se sent prête ?
Steph : C'est ça, l'affaire. J'ai eu le *feeling* que non. Et je ne voudrais surtout pas qu'elle fasse quelque chose qu'elle

va regretter parce qu'on lui a caché des informations fondamentales à propos de son chum !
Moi : Tu as raison.

Laurie s'est jointe à nous quelques minutes plus tard.

Laurie (en nous dévisageant) : Pourquoi vous faites une face d'enterrement ?
Moi (en prenant une grande inspiration) : Euh, parce qu'on a quelque chose à te dire.
Laurie : OK. Qu'est-ce qui se passe ?
Moi : Je sais que tu ne veux pas entendre parler de Jonathan et Sarah, mais c'est important que tu saches que Thomas a cassé avec elle parce qu'il est tombé sur des textos super louches.
Laurie : OK. Et en quoi ça me concerne ?
Steph : Les textos provenaient de Jonathan.

Laurie a détourné le regard en se mordant la lèvre.

Moi : Mon but n'est pas de te faire de la peine, Laurie. Mais je pense que tu interviendrais aussi si tu étais à ma place.
Laurie : Tu veux dire si je pensais que JP te trompait avec une autre ? Mais pas de chance que ça arrive, hein ? Il est bien trop gentil et respectueux pour ça ! Il y a juste moi pour tomber sur des crosseurs-manipulateurs.
Steph : Laurie, ce n'est pas ce que Marilou a voulu dire...

Laurie (en se levant) : Non, mais ça revient au même. Je vous laisse. J'en ai assez entendu.

Elle est partie en coup de vent avant qu'on puisse ajouter quoi que ce soit.

Moi (en baissant les yeux) : Je savais qu'elle réagirait mal.
Steph : Tu la connais, Lou. Elle est explosive et impulsive, mais elle finit toujours par se calmer.
Moi (en retenant mes larmes) : Je me sens comme la pire des amies.

Steph m'a regardée d'un air inquiet.

Steph : Lou, je te connais. Il y a quelque chose d'autre qui te chicote.
Moi (en essuyant discrètement une larme) : Ce n'est rien...
Steph : Je sais que je ne suis pas Léa, mais tu peux me faire confiance.

J'ai hésité. Même si je savais que Steph ne me jugerait pas, on aurait dit que je n'étais pas prête à lui parler de ce que j'avais vécu.

Moi (en m'efforçant de sourire) : L'histoire de Laurie me perturbe parce que je réalise que personne n'est à l'abri de ça.

Steph a haussé un sourcil.

Steph : Tu ne penses quand même pas que JP te ferait un truc pareil ?
Moi (en secouant la tête) : Je sais que ce n'est pas son genre, mais je suis certaine que Laurie ne pensait pas non plus que Jonathan allait lui être infidèle ni que Thomas s'imaginait que Sarah allait *cruiser* tout ce qui bouge.
Steph : Ça, c'était un peu plus prévisible. Mais il ne faut pas généraliser. Il a des gens honnêtes, dans la vie !
Moi : Je sais. Je trouve juste ça plate que Laurie ne soit pas tombée sur l'un d'eux.
Steph : Des fois, il faut s'amouracher d'un crapaud avant de trouver son prince charmant.

Je l'ai regardée d'un drôle d'air, puis j'ai éclaté de rire.

Moi : Wow. C'est intense comme métaphore !
Steph (en riant aussi) : C'est le célibat qui me rend poète !

La cloche a sonné indiquant la reprise des cours. Après mon examen de français, j'ai ramassé mes affaires dans mon casier et j'ai rejoint JP qui m'attendait devant l'école. Comme je ne l'avais pas revu depuis samedi, je sentais des papillons dans mon ventre. Un mélange de fébrilité amoureuse et de nervosité.

JP (en s'avançant vers moi et en me serrant dans ses bras) : Allo, toi !
Moi (en me collant contre lui et en respirant son odeur) : Je suis contente de te voir !
JP (en reculant un peu pour me faire face) : Ça me rassure.
Moi : Pourquoi tu dis ça ?
JP : Parce que ça fait deux fois que tu rejettes mes invitations sous prétexte que t'as plein de devoirs !
Moi : Pff. Ce n'est pas un « prétexte » ! Avec tous nos travaux, ç'aurait été irresponsable de se voir !
JP : Ouin, tu es devenue pas mal mature depuis la fin de semaine dernière.

J'ai rougi.

Moi : Je... Bon, est-ce qu'on reste plantés ici à se geler les fesses ou on va quelque part ?
JP : Ma mère n'est pas encore rentrée. On peut aller chez moi.

J'ai senti une boule dans mon ventre. S'il mentionnait que sa mère était absente, est-ce que c'était parce qu'il « s'attendait » à ce que ça se reproduise entre nous ?

Moi : Euh, je préfèrerais qu'on aille chez ma mère. C'est un véritable pot de colle depuis qu'elle est rentrée de Québec ! Elle tient à passer chaque minute avec moi.

JP (en se collant contre moi) : Elle va avoir de la compétition, alors !

J'ai souri. Laurie est alors sortie de l'école et s'est éloignée sans même nous saluer.

JP : Quelle mouche l'a piquée ?
Moi : Moi. Je lui ai dit pour Sarah.
JP : Et pourquoi elle est fâchée contre toi ? C'est plutôt son chum qui devrait subir sa mauvaise humeur.
Moi : Parce que je l'ai fait tomber de son nuage.
JP : Des fois, je suis content d'être un gars.

Et des fois, j'aimerais en être un !

Nous avons marché jusqu'à ma maison, et Zak nous a accueillis avec des cris dès que nous avons franchi la porte d'entrée.

Zak : Maman ! JP et Marilou sont là !
Ma mère (en nous regardant d'un air surpris) : Salut, les amoureux ! Je ne vous attendais pas !
Moi : Ouais, mais je me suis dit que ça te ferait plaisir qu'on reste ici. Après tout, tu t'es tellement ennuyée de moi !
Ma mère : C'est gentil, Lou, mais tu as sûrement oublié que ton frère avait un rendez-vous chez le dentiste. On est déjà

en retard. Mais Jean-Philippe est le bienvenu pour rester pour le souper, s'il veut.
JP : Je ne peux pas. J'ai un examen demain.
Moi : Moi aussi. Un test d'algèbre.
Ma mère (en enfilant son manteau) : OK. Soyez sages, alors. Et studieux !

Elle nous a fait un clin d'œil avant de sortir. Décidément, le destin voulait qu'on soit seuls.

Moi : Euh, veux-tu quelque chose à boire ?
JP : Non merci.
Moi (en m'emparant de la manette) : As-tu envie qu'on regarde la télé ? Il y a l'émission avec la patrouille de chiens qui passe à cette heure-ci. Zak est un grand fan.
JP (en m'attirant contre lui) : Je n'ai pas beaucoup de temps, alors je préfère en profiter.
Moi (en fronçant les sourcils) : Ça veut dire quoi, ça ?
JP (perplexe) : Euh, que j'aime mieux qu'on se colle et qu'on parle plutôt que d'écouter Pat-Machin.
Moi : OK, mais il vaut mieux rester dans le salon.
JP : Pourquoi ?
Moi : Parce que ma mère m'a déjà dit qu'elle ne se sentait pas à l'aise de nous laisser seuls, et je ne veux pas trahir sa confiance.
JP : Je trouve au contraire qu'elle avait l'air pas mal relaxe.

Moi : Ça, c'est parce qu'elle n'ose pas te dire les vraies choses.

JP m'a regardée d'un drôle d'air, puis il s'est laissé tomber sur le sofa en soupirant.

JP : Qu'est-ce qui se passe, Marilou ?
Moi : Rien.
JP : Je ne te crois pas. La dernière fois que je t'ai vue agir de façon aussi bizarre, c'est parce que tu avais *frenché* le frère de ta meilleure amie.
Moi (en haussant le ton) : Sérieux, JP ? Tu vas *encore* ramener cette histoire-là ?
JP : Je dis juste que je te connais assez pour savoir que tu me caches quelque chose, et comme mon meilleur ami vit présentement l'enfer avec sa blonde, je préfère que tu me dises la vérité avant que ça éclate comme lui.
Moi : Vas-tu vraiment comparer notre couple à celui de Thomas et Sarah ?
JP : Non. Je dis juste que je veux que tu sois honnête avec moi pour éviter qu'on s'engueule.
Moi : Si je te dis la vérité, ça risque de donner le même résultat.
JP : J'en doute.
Moi (sarcastique) : C'est vrai que tout a *tellement* l'air simple pour toi.
JP : Ça veut dire quoi, ça ?

Moi : Que ça fait cinq jours que je vis un raz-de-marée intérieur à cause de ce qui est arrivé et que ça n'a même pas l'air de t'affecter.
JP : Comment veux-tu que ça m'affecte si je ne sais pas ce que tu ressens ? Tu ne m'as rien dit, Marilou !
Moi : Et toi, tu ne m'as rien demandé !
JP : Non. Je voulais respecter ta bulle et y aller à ton rythme. Je ne voulais pas te bousculer en te posant des questions si tu n'étais pas prête à y répondre.
Moi : Et ta solution, c'est de t'arranger pour me ramener dans ton lit sans même discuter de ce que j'ai vécu la dernière fois que c'est arrivé ?
JP : Qui t'a dit que c'est ce que je veux ?
Moi : Pff. Ta mère n'est pas là et tu es un gars. Je sais très bien ce que ça veut dire.
JP : Wow. C'est le *fun* de voir à quel point tu me donnes du crédit.
Moi (en croisant les bras sur ma poitrine) : Et c'est agréable de constater à quel point tu es à l'écoute de ce que je vis.

JP a pris une grande inspiration, puis il m'a tendu la main.

JP : Je n'ai pas envie qu'on s'engueule, Lou. Et je m'excuse si j'ai eu l'air insensible cette semaine. J'aurais dû te poser plus de questions, mais on dirait que je préférais qu'on s'en parle de vive voix.
Moi (d'un ton sec) : C'est correct.

JP : Mais on peut en parler, là.
Moi : Ça ne me tente plus.
JP : *Come on*, Lou. Arrête de faire le bébé.
Moi (en haussant le ton) : Et toi, arrête de faire de la pression sur moi. Je n'ai pas envie qu'on en parle. Peux-tu respecter ça ?
JP (en mettant son manteau) : Je pense que c'est mieux que j'y aille.
Moi : En effet. *Ciao !*

Je me suis enfermée dans ma chambre et j'ai entendu la porte d'entrée claquer. Je sais que c'est niaiseux, mais une partie de moi avait envie de lui faire mal. Je voulais le punir pour ce que Laurie traversait et pour toutes les émotions que je ressentais.

Quand ma mère et mon frère sont revenus, j'étais encore barricadée dans ma chambre.

Ma mère (en frappant à la porte) : Je ne vous dérange pas, j'espère ?
Moi : Non. Je suis toute seule.

Ma mère a ouvert et m'a regardée d'un drôle d'air.

Ma mère : JP est déjà parti ?
Moi : Yep.

Ma mère : Qu'est-ce qui s'est passé ?
Moi : On s'est chicanés.
Ma mère : Pourquoi ?
Moi : Parce que je hais les gars.

J'ai enfoui ma tête sous mon oreiller, et j'ai senti la présence de ma mère près de moi.

Ma mère (en me caressant le dos) : Veux-tu m'en parler ?
Moi : Seulement si je peux rester cachée. Je ne peux pas discuter de ça avec toi en te regardant dans les yeux.

Ma mère a soulevé l'oreiller et m'a souri tendrement.

Ma mère : Tu peux tout me dire. Je suis là, Lou.

Je me suis assise en Indien et je lui ai relaté les événements de la fin de semaine dernière. Je lui ai aussi raconté à propos de Laurie et de ce qu'elle vivait.

Moi : J'espère que tu ne m'en veux pas.
Ma mère : Pourquoi est-ce que je t'en voudrais ? Tu as écouté ton cœur, tu as respecté ton rythme et tu as été responsable.
Moi : Je sais. Mais tu avais peut-être raison, l'autre jour. J'aurais dû attendre jusqu'à l'université.
Ma mère (inquiète) : As-tu des regrets, Lou ?

Moi : Non. Juste des craintes.
Ma mère : Lesquelles ?
Moi : Que notre relation change. Que Laurie ne me pardonne pas d'avoir ruiné la sienne. Que JP se mette à ne penser qu'à ça... Je ne regrette rien, mais j'ai encore besoin de digérer tout ce qui est arrivé. J'ai besoin de temps et je ne suis pas pressée de recommencer. Est-ce que je suis folle, maman ?
Ma mère : Au contraire. Tu as des besoins qui remontent et tu as besoin d'être écoutée. Mais pour ça, il faut que tu en parles à JP.
Moi : Je sais. J'ai juste trouvé ça plus simple d'être bête et de m'engueuler avec lui.
Ma mère (en riant) : Tu me rappelles quelqu'un !
Moi : Qui ?
Ma mère : Moi ! J'étais pareille avec ton père !

J'ai souri.

Ma mère : Mais ce n'est pas un exemple à suivre, Lou. Regarde où ça nous a menés...
Moi : En effet.
Ma mère : Et je comprends que ça te fasse de la peine que Laurie ait le cœur brisé, mais ça n'a rien à voir avec toi et Jean-Philippe.
Moi : Je sais.
Zak (en apparaissant dans le cadre de porte) : J'AI FAIM !

Ma mère (en se levant) : Moi aussi ! Tu viens, ma chérie ?
Moi : J'arrive. Je veux d'abord appeler JP.
Ma mère : Sage décision.

Il a répondu à la première sonnerie.

Moi : Je t'appelle pour m'excuser. Et comme je ne suis pas capable de te dire les choses en pleine face, je me suis dit que ce serait plus facile par téléphone.
JP : Je t'écoute.
Moi : Même si j'aurais aimé que tu sois un peu plus à l'écoute de ce que je vivais cette semaine, je réalise que tu es un gars, et que tu es... limité.
JP : Ce n'est pas comme ça qu'on va se réconcilier, Marilou.

J'ai souri.

Moi : Ce que je veux dire, c'est que tu ne peux pas deviner comment je me sens. J'aurais dû t'avouer que j'étais à l'envers et en discuter avec toi.

JP a toussoté.

JP : Et moi, je pense que j'aurais dû t'en parler un peu plus avant. Ça me fait capoter de te voir triste. Ce n'est tellement pas comme ça que je voulais que ça se passe.

Moi : Je ne regrette rien, JP. Tout était parfait. C'est juste un peu plus long à assimiler que je pensais. Ça m'a marquée. Tu comprends ?
JP : Oui. C'est pareil pour moi, Lou.
Moi : Qu'est-ce que tu veux dire ?
JP : Que même si c'est un moment que je n'oublierai jamais et que ç'a été magique, ça m'a fait vivre toutes sortes d'affaires, à moi aussi !
Moi : Pour vrai ?
JP (sarcastique) : Même les gars sont capables d'émotions, tu sais.
Moi : Et qu'est-ce que tu as senti ?
JP : De la nervosité. De la vulnérabilité. De la peur que tu me laisses.
Moi : Ben là ! Tu es donc bien niaiseux ! Pourquoi je te laisserais ?
JP : Parce qu'au fond, tu es une *player* qui m'utilisait pour mon corps ?

J'ai souri.

JP : Sans blague, je comprends que ça t'ait déboussolée. Est-ce qu'il y a quelque chose que je peux faire pour t'aider à démêler tout ça ?
Moi : Je pense que oui.
JP : Je t'écoute.

Moi : Est-ce que ça te dérangerait si on attendait un peu pour... la suite ? Je sais que ça sonne un peu bizarre étant donné qu'on l'a déjà fait une fois, mais j'ai besoin de prendre mon temps avant de recommencer. Et je ne veux surtout pas me sentir nerveuse chaque fois qu'on se voit parce que j'ai peur que ça nous mène là.
JP : Pas de problème. Du moment que tu me parles de ce que tu ressens au fur et à mesure.
Moi : *Deal.*
JP : Et que tu ne me compares plus à Jonathan Machin-Chose.
Moi : Promis.
JP : Je dois y aller. Mes parents m'attendent pour souper.
Moi : OK. Je t'aime. Tu le sais, hein ?
JP : Oui, mais ça fait quand même du bien de l'entendre. Surtout après une chicane. Je t'aime aussi.

J'ai raccroché, le cœur léger. Je me sentais tellement soulagée d'avoir été honnête avec lui et avec ma mère. La seule ombre qui reste au tableau, c'est Laurie. Comme j'ai passé la fin de semaine à étudier et à garder mon petit frère, je n'ai pas eu l'occasion de lui reparler. Est-ce que tu crois que je devrais l'appeler ou que c'est mieux d'attendre qu'elle me fasse signe ?

Tu ne sais même pas à quel point les vacances de Noël vont me faire du bien. Et même si une partie de moi souhaite que tu retrouves ta liberté d'ici le jour de l'An, une autre est contente de se retrouver barricadée avec toi.

Donne-moi des nouvelles !
Lou xox

Chapitre 7 : Feliz Navidad !

Lundi 21 décembre

17 h 33

Katherine (en ligne): Et puis? Tu as survécu à l'examen de sciences?

17 h 33

Léa (en ligne): De peine et de misère. Mais la bonne nouvelle, c'est qu'il ne nous reste qu'un test d'anglais (au secours) avant les vacances! Et même si les miennes ne s'annoncent pas super palpitantes cette année, j'ai vraiment hâte d'avoir une pause de comités et de devoirs!

17 h 34

Katherine (en ligne): Tu n'as toujours pas obtenu la permission de sortir?

17 h 34

Léa (en ligne): Non, mais je n'ai pas trop insisté. J'attends Noël pour leur demander de me laisser assister au party d'Éloi avec Marilou. J'ai espoir que la naissance de Jésus les rendra généreux.

17 h 35

Katherine (en ligne): Ha ! Ha ! En tout cas, je l'espère. Ça me permettrait de moins me sentir seule aux douze coups de minuit !

17 h 35

Léa (en ligne): Au pire, tu pourras coller Jeanne ! Ou Oli... #TsaisVeuxDire

17 h 36

Katherine (en ligne): Partie comme c'est là, je serais chanceuse d'obtenir un baiser sur la joue... #JeCommenceÀPerdreEspoir

17 h 36

Léa (en ligne): Pourquoi tu dis ça ? Il est distant avec toi ?

17 h 36

Katherine (en ligne): Au contraire, on est redevenus inséparables. Le problème, c'est que j'ai l'impression qu'on renforce notre amitié au lieu de se rapprocher physiquement.

17 h 37

Léa (en ligne) : Ne te décourage pas trop vite. Il m'a fait savoir que tu ne le laissais pas du tout indifférent.

17 h 37

Katherine (en ligne) : Il t'a parlé de moi ?

17 h 37

Léa (en ligne) : Il a plutôt répondu à mes questions indiscrètes ! J'espère que ça ne te dérange pas que je le questionne à propos de toi ?

17 h 38

Katherine (en ligne) : Au contraire ! J'ai besoin de détails !

17 h 39

Léa (en ligne) : Oli est un gars discret, alors je ne sais pas grand-chose à part que la situation évolue dans le bon sens. Ceci dit, je te comprends de t'impatienter, car tu sais depuis longtemps que tu es amoureuse de lui !

17 h 39

Katherine (en ligne): Ouais, mais lui, il a besoin de temps, et je dois respecter ça. C'est juste difficile de mettre mes sentiments en pause...

17 h 40

Léa (en ligne): Tout ce que je peux te dire, c'est qu'Oli est un gars super honnête. Il est peut-être lent, mais je suis certaine que ça vous mènera quelque part.

17 h 40

Katherine (en ligne): C'est cool que vous soyez redevenus amis!

17 h 40

Léa (en ligne): Ça prouve que son cœur est libre! 🙂

17 h 41

Katherine (en ligne): Tu as raison. Et toi, avec Alex?

17 h 41

Léa (en ligne): J'essaie toujours très fort de passer à autre chose.

17 h 41

Katherine (en ligne): Plus facile à dire qu'à faire, hein?

17 h 42

Léa (en ligne): Mets-en! J'ai beau me faire de beaux discours de renforcement positif tout au long de la journée, on dirait que tout s'effondre quand je rentre à la maison. Résultat: je rêve à lui toutes les nuits, je me réveille avec une boule dans le ventre et j'espionne les réseaux sociaux pour combler le manque. C'est de la boulimie amoureuse. Il faudrait peut-être que je le bloque. #AucuneChanceQueÇaArrive

17 h 43

Katherine (en ligne): Ou que tu rencontres un autre gars. #OnSaitJamais

17 h 43

Léa (en ligne): Ou qu'il se fasse une blonde. #LaClaqueDansLaFaceDontJauraisBesoin.

17 h 43

Katherine (en ligne): On est nouilles de dépenser autant d'énergie pour des gars. Je pense que la recette du bonheur, c'est Jeanne qui la détient.

17 h 44

Léa (en ligne): Tellement! Parlant d'elle, sais-tu si elle compte revoir Jules?

17 h 44

Katherine (en ligne): Aux dernières nouvelles, leur relation virtuelle et platonique la satisfaisait pleinement, mais elle n'excluait pas de l'inviter au party du 31.

17 h 44

Léa (en ligne): Une histoire à suivre!;) Bon, il va falloir que je te laisse, car je dois réviser mes temps de verbes en anglais. Mais avant que j'oublie, je vais organiser une petite surprise pour l'anniversaire d'Éloi demain dans la cafétéria. Je pensais l'accueillir avec un gâteau et des ballons. Comme je ne peux pas sortir de chez moi, c'est ma seule façon de pouvoir célébrer avec lui!

17 h 48

Katherine (en ligne): Super idée! J'ai des bougies et des confettis chez moi, alors je pourrai t'apporter ça. On célébrera la fin de l'école en même temps!

17 h 48

Léa (en ligne): Cool! À demain!

17 h 48

Katherine (en ligne): À demain! *Luv!*

À : Marilou33@mail.com
De : Léa_jaime@mail.com
Date : Mercredi 23 décembre, 11 h 44
Objet : C'est le temps des vacances !

Allo, Lou !
J'ai des tonnes de choses à te raconter, mais je tiens d'abord à souligner à quel point je me sens légère ce matin. Premièrement, il neige, ce qui rend l'atmosphère féerique ; deuxièmement, je suis officiellement en vacances ; troisièmement, c'est Noël dans quelques jours ; et quatrièmement, tu t'apprêtes à venir me rejoindre !

Ça, c'est sans compter que j'ai congé des Câlinours pendant quelques semaines. Commençons d'ailleurs par le récit de ma dernière séance de tutorat avec Mégane. Réal et Guylaine l'ont déposée chez moi vers 14 heures.

Moi (en ouvrant la porte) : Bonjour, Mégane !
Réal (en regardant derrière moi) : Il ne fait pas chaud, hein ?
Moi : Ouais. C'est l'hiver au Québec !
Guylaine (en s'imposant un peu pour essayer de pénétrer dans la maison) : Parle-moi-z'en pas ! Réal est assez mal en point ces temps-ci !
Moi (en ne bougeant pas d'un pouce pour éviter qu'ils entrent) : Ah ouais ? C'est le rhume, j'imagine ?
Réal : Non. Le froid me donne des hémorroïdes.

J'ai entendu Félix glousser derrière moi.

Moi (en grimaçant) : Hum. Pas le *fun*.
Guylaine : Non ! C'est pour ça qu'il faut éviter qu'il reste trop longtemps dehors.

Elle m'a regardée en écarquillant les yeux. Un peu plus et elle s'invitait carrément à s'installer indéfiniment dans notre demeure !

Moi : Alors je ne vous retiendrai pas plus longtemps ! Viens, Mégane. On va commencer tout de suite !
Réal (en posant un pied dans la maison) : Tes parents sont là ?
Moi : Non. Comme je vous l'ai réexpliqué la semaine dernière, ils sont dans une réunion de comité de parents. Notre horaire est encore plus chargé que d'habitude à cause des fêtes. Vous pouvez repasser dans une heure et demie. On aura sûrement terminé.
Guylaine : Qu'est-ce que j'entends dans le salon ?
Moi : Félix regarde la télé.
Réal : On pourrait peut-être se joindre à lui ? Ça nous évitera de tourner en rond cinquante-six fois pour trouver du stationnement. C'est tellement compliqué la grande ville !
Félix (en haussant le ton pour qu'ils l'entendent) : C'est mieux pas ! J'ai la gastro.

Guylaine : Pff. Avec tous les problèmes intestinaux de Réal, ce n'est pas un petit virus d'école qui va nous faire peur.
Mégane (en se tournant vers ses parents) : J'aimerais mieux que vous me laissiez seule. J'ai plus de facilité à me concentrer quand il y a juste Léa et moi.

J'étais étonnée que Mégane s'impose ainsi devant ses parents. Et je lui en étais surtout très reconnaissante.

Guylaine (un peu surprise) : Euh, OK, ma puce. Si ça peut améliorer ton rendement scolaire, on va repasser te prendre vers 15 h 30.

Ils sont partis et Mégane s'est installée à table. Elle avait l'air plus sérieuse qu'à l'habitude.

Moi : Tout va bien ?
Mégane : Oui.
Moi : Es-tu sûre ? Tu as l'air un peu nerveuse. Ce sont les examens qui s'en viennent qui te stressent ?
Mégane (en soupirant) : Non. C'est tout le reste.
Moi : OK. Veux-tu m'en parler ?
Mégane (en me regardant dans les yeux) : Tellement. C'est pour ça que je voulais que mes parents partent. Ils ne comprennent pas que je suis rendue vieille. Et je suis sûre que toi et moi, on vit les mêmes choses.

Moi : Euh, je n'en suis pas si certaine, mais je peux essayer de t'aider en me basant sur mes expériences.
Mégane (en me souriant) : Ce serait cool. Je veux être comme toi.
Moi : Je ne suis pas sûre que ce soit une bonne idée, Mégane.
Mégane : Pourquoi ? Ta vie a tellement l'air géniale. Tes parents sont relaxes, tu as plein d'amis et de gars qui te tournent autour et ton frère est *full* beau.
Félix (en criant du sofa) : C'est vrai, ça !
Moi : Félix, dégage ! Mégane et moi avons besoin de concentration.

Félix est monté dans sa chambre en riant dans sa barbe.

Moi : Tu disais ?
Mégane : Que je voudrais être toi.
Moi : Je pense que tu penses que ma vie est plus palpitante qu'elle l'est réellement.

Mégane m'a regardée avec des yeux de poisson rouge.

Moi : Ce que je veux dire, c'est que tout a l'air plus beau vu de l'extérieur, mais que j'ai des problèmes comme tout le monde. Je me dispute aussi avec mes parents et avec mes amis, et pour ce qui est de l'amour, je suis célibataire parce que j'ai le don de m'enticher des mauvais gars.

Mégane : Tu n'es pas la seule.

Elle s'est mordu la lèvre et a détourné le regard.

Moi : Pourquoi tu dis ça ?
Mégane : Te souviens-tu de la photo de Julianne, mon ancienne amie que tu as vue dans mon agenda ?
Moi : Celle qui a été méchante avec toi ? Oui.
Mégane : En fait, ce n'est pas elle qui a été méchante. C'est moi.
Moi : Qu'est-ce que tu veux dire ?
Mégane : Qu'elle sortait avec un gars, mais que je suis tombée amoureuse de lui. Il a cassé avec elle pour moi. Et là, elle m'en veut.
Moi : Oh. Est-ce que tu lui en avais parlé avant ?
Mégane (en haussant les épaules) : Non. Je faisais semblant de le trouver con en espérant que ça la force à casser et que ça me laisse le champ libre.
Moi : Hum. Ce n'est pas super gentil, ça, Mégane. Peut-être que si tu ne lui avais pas menti, tu n'en serais pas là.
Mégane : Trop tard. L'affaire, c'est que je suis tannée de sortir avec lui parce qu'il veut tout le temps me tenir la main. J'aimerais casser et redevenir amie avec Julianne. Penses-tu que si je lui dis qu'il l'aime encore et que je m'arrange pour qu'ils reprennent, tout va s'arranger ?
Moi : Je pense que c'est un peu plus compliqué que ça. Si Julianne t'en veut, ce n'est pas juste à cause de lui.

C'est aussi parce qu'elle sent que tu as été malhonnête avec elle. La première chose à faire serait de t'excuser. Dis-lui que tu regrettes de ne pas lui avoir avoué que tu aimais son chum et que tu t'ennuies d'elle.
Mégane : Et Alex, je fais quoi avec ?

J'ai sursauté.

Moi : Qui ?
Mégane : Alex. Mon chum.
Moi : Ah.
Mégane : Pourquoi tu fais cette face-là ?
Moi : Parce que je connais aussi un Alex. C'est un drôle de hasard.
Mégane : Tu vois ? Je te l'avais bien dit qu'on vivait les mêmes affaires !
Moi (en souriant) : Je pense que tu devrais casser avec lui, Mégane.
Mégane : Mais j'ai peur que ça crée un froid avec toute sa gang, et que si Julianne refuse de me pardonner, je me ramasse toute seule.
Moi : Le pire qui puisse arriver, c'est que ce soit un peu tendu pendant quelque temps. Mais tout finit toujours par s'arranger.
Mégane : Ah ouais ? Alors, ça s'est aussi réglé avec ton Alex ?
Moi : Qu'est-ce qui te dit que j'ai un problème avec lui ?

Mégane : Ta face. Et mon intuition.

Parfois gossante, mais pas folle, cette Mégane.

Moi : Pas encore. Mais ça s'en vient.

J'ai souri et j'ai enchaîné avec les participes passés pour éviter qu'elle me questionne davantage. La vérité, c'est que je n'avais pas envie de lui parler d'Alex et du fait que mon cœur battait toujours aussi fort quand je le croisais à l'école.

Comme hier midi, alors que j'étais en train de suspendre des banderoles et d'accrocher des ballons pour la surprise d'Éloi et qu'il est apparu devant moi.

Alex : As-tu besoin d'aide ?
Moi (en tremblant un peu sous l'effet de la surprise) : Non, merci. Ça va.
Alex (avec un sourire en coin) : T'es sûre ? Parce que du haut de tes trois pieds, ça ne doit pas être facile d'accrocher tout ça.
Moi : Pff ! N'importe quoi ! Je suis pas mal plus habile que tu penses... Ah ! AAAAAHHHHHH !

J'ai aussitôt perdu pied et Alex m'a cueillie au vol.

Alex (en me regardant d'un drôle d'air) : Tu disais ?
Moi (en souriant) : Que je suis super habile. Ça, c'était juste pour tester tes réflexes.
Alex (en me déposant par terre) : Et puis ? Est-ce que je passe ?
Moi : Pas sûr encore.
Alex : Dis-moi au moins que je suis plus rapide qu'Olivier.

Il faisait évidemment allusion à la scène devant les toilettes.

Moi : Je préfère m'abstenir de répondre.
Alex : Est-ce que tu as des plans pendant les vacances ?
Moi : Rester cloîtrée chez moi avec Marilou.

Alex m'a questionnée du regard.

Moi : C'est une longue histoire.
Alex : J'ai le temps.
Bibi (en arrivant au loin) : Aleeeeeeeex !
Moi : On dirait que non.
Bibi (en se joignant à nous) : Léa ! Ça tombe bien, je voulais justement te parler ! Kath et moi, on a pensé à la chorégraphie des maillots, et je me suis dit qu'à la fin, ce serait débile de te voir apparaître dans un nuage de fumée !
Moi : Pas de chance que tu me fasses plutôt disparaître, hein ?
Bibi : Ben là ! Ce serait quoi l'intérêt ?

Moi : Ne pas mourir de honte ?
Alex : Bianca m'a montré le maillot. Il n'est pas *si* pire.

J'ai regardé Alex d'un air perplexe. Je ne pouvais pas croire qu'il dise ça. Il n'y a pas si longtemps, il aurait été le premier à se taper les cuisses en m'imaginant défiler là-dedans.

À mon grand soulagement, son air sérieux s'est rapidement transformé en fou rire.

Alex (en se tordant) : OK. Je ne suis même pas capable de faire semblant. Il est vraiment *laite* !
Moi (en riant à mon tour) : Et qui va devoir le porter ? C'est bibi !

Bianca nous a regardés, l'œil hagard.

Bianca : Ben non ! C'est toi !
Moi : C'est ce que je dis. C'est bibi.
Bianca : Bibi, c'est moi.
Moi : Non, c'est moi.
Bianca : Tout le monde m'appelle Bibi.
Moi : Oui, mais dans ce contexte, bibi, ça veut dire « moi ».
Un ange est passé. J'étais soulagée de constater que je la surpassais au moins dans la catégorie « expressions françaises ».

Bianca (en essayant de changer de sujet) : *Anyways !* Alex, on y va ?
Alex : Où ça ?
Bianca : N'essaie pas de te défiler, chose ! Tu m'as promis de venir t'entraîner avec moi ce midi !
Alex : Mais il fait moins mille dehors !
Bianca : Justement ! Il faudra travailler encore plus fort pour se réchauffer !
Alex : Bon, bon. Je te rejoins dans deux minutes.

Bianca a souri avant de s'éloigner.

Moi (en m'efforçant de cacher ma déception) : Donc tu ne seras pas là pour la surprise d'Éloi ?
Alex : Il est en réunion jusqu'à midi trente, non ?
Moi : Ouais.
Alex : Alors ça me donnera une bonne excuse pour écourter mon entraînement.

On a échangé un petit sourire.

Moi : Bon, je dois m'y remettre si je veux terminer à temps.
Alex : OK, mais tu ne m'as toujours pas raconté ton histoire.
Bibi : Aleeeeex !

Pour une fois, j'étais contente que Bianca vole à mon secours. Je ne tenais pas exactement à ce qu'Alex apprenne que j'étais en punition pour une durée indéterminée parce que l'amour ardent que j'éprouvais pour lui m'avait poussée à la rébellion et à la désobéissance parentale.

Moi : Tout ce qu'il y a à savoir, c'est que Marilou vient me rendre visite, mais que je ne suis pas certaine de pouvoir aller au party du jour de l'An chez Éloi.

Alex a fait une mine triste.

Alex : C'est donc ben poche !
Moi : Bah ! Tu auras plein de monde pour t'aider à célébrer.
Bibi : Alex ! Grouille !
Moi (en souriant) : Dont Bibi.
Alex : La connaissant, elle voudra sans doute me faire faire des *push-ups* pendant le party pour commencer l'année du bon pied.

J'ai ri.

Moi (en remontant sur ma chaise) : Vas-y avant qu'elle te punisse et te fasse courir deux kilomètres supplémentaires.
Alex : OK. À tout de suite.

J'ai fini mon installation et Jeanne et Katherine se sont finalement jointes à moi.

Katherine (à bout de souffle) : Je m'excuse du retard ! Je devais répéter une chorégraphie avec Marianne et deux filles de secondaire quatre et c'était la première fois que je faisais ça toute seule. Bianca me donne de plus en plus de responsabilités.
Jeanne : Et la réunion pour l'album a duré un peu plus longtemps que prévu.
Moi : Ce n'est pas grave. J'ai eu le temps de finir !
Katherine (en regardant mon œuvre d'un air admiratif) : Wow ! Tu t'es donnée !
Moi : Ouais. Je voulais que son anniversaire soit le *fun*, même si c'est à l'école.

On a dîné en vitesse, puis on a enfilé des chapeaux et préparé des confettis et des trompettes en prévision de son arrivée. Quand il s'est finalement pointé le bout du nez, on s'est mis à crier dans la cafétéria et tous les élèves de l'école se sont joints à nous pour lui chanter bonne fête. Éloi avait vraiment l'air surpris et content.

Éloi : Ben là ! Vous n'auriez pas dû vous donner autant de mal !
Jeanne : Le mérite va à Léa. C'est elle qui a tout préparé !
Moi (en rougissant) : Ce n'est rien. Je voulais juste que tu saches à quel point tu es important pour moi.

Éloi m'a souri et m'a serrée contre lui.

Éloi : Je t'aime.

Je n'ai pu m'empêcher de tressaillir. Éloi a senti la tension et m'a aussitôt rassurée.

Éloi (en riant et en me prenant par les épaules) : En amie, je veux dire. Ne t'en fais pas, je ne suis pas en train de te faire une déclaration d'amour.
Moi (en souriant) : Bof. Ce ne serait pas la pire des choses.
Éloi (en souriant aussi) : C'est vrai que tu as survécu à celles que je t'ai faites dans le passé.
Moi (en lui tendant mon cadeau) : Tiens. Ce n'est pas grand-chose, mais je me suis dit qu'il te serait utile.

Il a retiré l'emballage et je l'ai vu sourire à pleines dents. Je lui avais acheté un guide de voyage pour l'Espagne, puisqu'il y va deux semaines l'été prochain en immersion.

Éloi : Génial !
Moi : Et il y a un mini-dictionnaire à la fin pour t'aider à étudier l'espagnol.
Éloi : *Gracias, amiga !*

Les filles lui ont aussi offert leur cadeau, puis nous avons englouti le gâteau au chocolat que j'avais préparé la veille avec ma mère.

Katherine (en se servant une deuxième portion) : Alex n'est pas là ?
Moi (en haussant les épaules) : Il m'avait dit qu'il arriverait à temps, mais apparemment, Bibi l'a retenu quelque part.
Katherine (en baissant le ton) : Arrête de t'en faire avec elle. Je t'ai déjà expliqué que leur baiser ne voulait rien dire.
Moi : De toute façon, ce ne sont pas de mes affaires...

Alex m'a aussitôt interrompue en arrivant en trombe. Il portait encore sa tenue de sport hivernale et sa tuque.

Alex (en tendant la main à Éloi et en lui faisant une accolade) : Bonne fête, *bro* !
Katherine (en prenant une photo avec son cellulaire) : Aw ! Vous êtes tellement *cute* ! Il faut immortaliser ce moment.
Éloi (en repoussant gentiment Alex) : *Dude*, je ne pense pas que ta sueur va m'aider à attirer les filles.
Alex (en retirant sa tuque et ébouriffant ses cheveux) : Au contraire. Ça va te rendre plus viril !

Pourquoi est-ce qu'il est aussi beau même quand il est trempé et décoiffé ? Ce n'est pas juste.

Jeanne m'a ramenée sur Terre en claquant des doigts.
Jeanne : Léa ? On est mieux d'y aller tout de suite si tu veux qu'on révise avant l'examen.

J'ai acquiescé nerveusement et je l'ai suivie jusqu'au local d'anglais. On s'apprêtait d'ailleurs à y entrer quand on a entendu des voix à l'intérieur. J'ai fait signe à Jeanne d'attendre et j'ai passé ma tête dans l'embrasure pour voir de qui il s'agissait.

J'ai sursauté en apercevant Bianca assise tout près de José.

J'ai tiré Jeanne vers l'arrière et j'ai tendu l'oreille pour écouter leur conversation.

José : Merci de me rejoindre avant le test. Je suis vraiment poche en anglais.

Pff ! Tu es trilingue, espèce de crosseur !

Bianca : Ça me fait plaisir !
José : En échange, je suis dispo quand tu veux pour un cours privé d'espagnol.
Bianca : J'avoue que ça pourrait m'être utile. Je ne connais rien à part *muchas gracias* !
José : *Te pareces a una flor bonita del oriente.*
Bianca (en riant) : Ça veut dire quoi, ça ?
José : Que tu es aussi jolie qu'une fleur exotique.
Bianca : Tu es gentil, mais je ne crois pas que mon habit de sport me mette en valeur.

José : Aïe ! Au contraire, *mamacita* !
Bianca (un peu gênée) : Et, euh, dis-moi, qu'est-ce que tu as prévu faire pendant les vacances ?
José : *Pensar en ti*. Et toi ?
Bianca : Principalement des trucs de famille.
José : Est-ce que tu auras un peu de temps pour moi ?
Bianca : C'est sûr que si tu veux t'entraîner, je serais motivée !
José : On pourrait faire autre chose, aussi.

Jeanne et moi avons échangé un regard dégoûté.

Bianca : Comme quoi ?
José : Aller au cinéma ou regarder un film à la maison ?
Bianca : Je ne pense pas que Maude triperait qu'on passe du temps seul à seul.
José : Ne t'en fais pas pour elle.
Bianca : José, je... Je pense que tu sais que je t'aime bien, mais tu as une blonde et je refuse de lui jouer dans le dos.

J'étais surprise de constater que Bianca demeurait loyale à Maude, et ce, même si la reine des nunuches ne s'était jamais montrée gentille envers elle. Décidément, j'avais moi aussi une leçon à tirer de tout ça.
José : Je ne veux pas être malhonnête, Bianca, mais je ne peux pas non plus faire semblant que tu ne m'attires pas et que je n'ai pas envie de passer du temps avec toi.

Bianca : Si tout ça est vrai, pourquoi n'en as-tu pas parlé à Maude ?
José : C'est compliqué. Elle vit des choses pas évidentes avec sa famille en ce moment, et je ne voulais pas en rajouter. Mais si ça peut te rassurer, j'attends juste le bon moment pour prendre une pause avec elle.

Il y a eu un moment de silence. J'ai étiré le cou pour voir ce qui se passait, et j'ai aperçu José qui s'approchait dangereusement de Bibi.

José : Embrasse-moi.
Bianca (en se levant d'un bond) : Non !
José : Si c'est Maude qui t'en empêche, je te promets que je vais lui parler...
Bianca : Non, ne fais pas ça. Si elle a des problèmes à la maison, ça veut dire qu'elle a besoin de toi plus que jamais. Et ce serait trop égoïste de ma part d'exiger que tu lui brises le cœur en plus du reste.
José : Comment veux-tu que je ne succombe pas à ton charme ? Tu es tellement extraordinaire.
Bianca (d'une petite voix) : Je ne suis pas du même avis. La preuve, c'est que je me suis amourachée de quelqu'un qui n'est pas libre.
José : Tu ne peux rien dicter à ton cœur, *amor*. Il faut juste que tu te laisses aller dans mes bras.

J'ai grimacé. Pourquoi est-ce que pratiquement toutes les filles succombent au charme de José et à ses déclarations bidon sorties tout droit d'un film quétaine ?

Bianca (comme si elle avait lu dans mes pensées) : Tu ne vas pas m'avoir avec une réplique aussi clichée, José.
José : Je dis seulement ce que je sens.
Bianca (un peu offensée) : Alors c'est peut-être moi qui ai été cruche de penser qu'il y avait une connexion sincère entre nous.
José : Pourquoi tu réagis comme ça ?
Bianca : Parce que je n'aime pas quand les gars font pression pour obtenir ce qu'ils veulent. Sur ce, il faut que j'aille me changer ! *Ciao*.

Elle est sortie du local et Jeanne et moi nous sommes cachées derrière une colonne pour éviter qu'elle nous voie. Nous avons attendu plusieurs secondes, puis j'ai fait signe à Jeanne de me suivre jusqu'aux toilettes.

Jeanne (en refermant la porte derrière elle) : *OMG !* Je ne pensais jamais dire ça, mais pauvre Maude !
Moi : Mets-en. Et bravo à Bianca qui n'a pas succombé à la tentation.
Jeanne : José est encore plus croche qu'avant.
Moi : Heureusement que cette fois-ci, il est tombé sur une fille avec un sens moral plus développé que la moyenne.

Jeanne : Mets-en. Ça nous évite de devoir nous en mêler.

Je me suis mordu la lèvre.

Moi : Je ne crois pas que ce soit aussi simple. Quand j'ai croisé Maude dans les toilettes la semaine dernière, j'ai moi-même insisté pour qu'on fasse un pacte d'honnêteté d'ici la fin de l'année scolaire. Je me sentirais mal de ne pas le respecter.
Jeanne (en me regardant d'un drôle d'air) : Toi, tu culpabiliserais de cacher quelque chose à Maude Ménard-Bérubé ?
Moi : Je sais que ça sonne irréel, mais oui.
Jeanne : Mais tu la connais, Léa ! Tu sais très bien que si tu lui dis, elle ne percevra pas ça comme un acte de bonne foi, mais plutôt comme une déclaration de guerre.
Moi (en haussant les épaules) : Pour ce que ça va changer. Et sa réaction pourrait te surprendre. Après tout, elle m'avait remerciée quand je lui avais fait savoir que Sophie avait embrassé José.

Jeanne a secoué la tête d'un air triste.

Moi : Qu'est-ce qu'il y a ?
Jeanne : Je trouve ça pathétique qu'on en soit encore là deux années plus tard. Leur couple est tellement dysfonctionnel.

Moi : Ouin. Et ce n'est pas comme si elle n'avait pas l'embarras du choix. Tous les gars de l'école rêvent de sortir avec elle.
Jeanne : C'est comme si une partie d'elle aimait se rendre misérable.

Nous avons entendu la chasse d'eau dans l'une des cabines. Jeanne m'a regardée en écarquillant les yeux. Nous avions discuté de tout ça sans même vérifier que les toilettes étaient libres. J'ai retenu mon souffle en espérant que la personne qui s'y trouvait soit une élève qui n'ébruiterait pas les confidences qu'on venait de se faire.

Plusieurs secondes se sont écoulées.

Moi (en m'approchant) : Allo ? Il y a quelqu'un ?
Voix nasillarde : Oui. Je m'appelle Maëlle et je suis en secondaire un.

Jeanne a poussé un soupir de soulagement tandis que j'hyperventilais. Je savais très bien qui se trouvait réellement à l'intérieur de la cabine.

Moi (en jouant le jeu) : Est-ce que tu peux sortir, Maëlle ? J'aimerais ça t'expliquer quelque chose.
Maude a ouvert la porte et le visage de Jeanne s'est décomposé.

Jeanne : Maude ? Mais... qu'est-ce que tu fais là ?
Maude : Je faisais pipi avant l'examen et j'en profitais pour écouter ce que mon ancienne amie a à dire à mon sujet.

Un ange est passé. Jeanne a détourné les yeux tandis que Maude la fusillait du regard.

Maude : Comme ça, j'aime me complaire dans mon malheur ?
Jeanne : Ce n'est pas ce que j'ai dit.
Maude : Pourtant, c'est à peu près ce que j'ai entendu.
Jeanne (en plongeant son regard dans le sien) : Ah, puis pourquoi est-ce que j'essaie de te ménager ? Si tu veux savoir, je ne comprendrai jamais pourquoi tu t'acharnes à rester dans cette relation-là. José te traite comme un objet et il te tient pour acquise.

Maude a accusé le coup sans réagir.

Maude : Si c'est vraiment ce que tu penses, pourquoi tu as conseillé à Léna de rien me dire ?
Jeanne : Parce que je suis tannée de m'en mêler. Je pense que j'ai assez donné. Ton couple a carrément ruiné notre amitié, Maude.

Maude s'est avancée vers moi et m'a regardée d'un drôle d'air.
Maude : J'avoue que tu m'étonnes, Léna.

Moi : Qu'est-ce que j'ai fait, encore ?
Maude : Rien.
Moi (un peu surprise) : OK. Et pourquoi tu m'observes comme ça ?
Maude : Parce que tu respectes tes engagements et que je t'en dois une.
Moi : Si tu veux mon avis, je pense que Jeanne...
Maude (en brandissant sa main vers moi) : Relaxe. Ce n'est pas parce que j'apprécie que tu ne sois pas un visage à deux faces que ton opinion compte pour moi. Et ce ne sont pas deux conversations dans les toilettes qui te rendent importante à mes yeux.

Elle est sortie et j'ai soupiré.

Moi : C'est tout le temps comme ça avec elle. Dès que j'ai le sentiment qu'on peut arriver à s'entendre un peu mieux, elle sort son arsenal pour s'assurer de me faire comprendre que je serai toujours la petite rejet de secondaire trois.
Jeanne : Ne la laisse pas t'atteindre, Léa. Elle fait la *tough* pour cacher sa propre vulnérabilité.

La cloche a retenti.

Moi : Merde ! Avec tout ça, je n'ai même pas eu le temps de réviser avec toi.
Jeanne : Je suis sûre que ça va bien aller.

Mais les encouragements de Jeanne n'ont pas suffi à ce que je me surpasse à l'examen. J'avais même l'impression que les questions posées n'avaient aucun lien avec l'histoire qu'on devait lire. En résumé, mes progrès en anglais se comparent à ceux de ma relation avec Maude : nuls.

La bonne nouvelle, c'est je n'ai pas laissé l'attaque de ma nunuche préférée ni l'incompréhension d'une langue seconde venir ruiner les festivités qui ont suivi l'examen. Puisque je n'ai pas le droit de traîner nulle part ailleurs, je suis restée à l'école avec mes amis jusqu'à 16 h 30, puis je suis rentrée chez moi. Comme Félix venait lui aussi de terminer son dernier examen de la session, il était de super bonne humeur. On en a profité pour décorer le sapin de Noël, qui faisait franchement pitié, puis il est sorti rejoindre sa gang. Mes parents ont commandé du chinois, et je me suis endormie devant un film.

Cet après-midi, je vais magasiner en ville avec ma mère, et demain, j'ai promis de l'aider à cuisiner puisqu'on reçoit la famille le 25.

Et toi ? As-tu des nouvelles de Laurie ? Est-ce qu'elle a finalement dépompé ? Je suis contente que les choses se soient arrangées avec JP et que tu lui aies avoué comment tu te sentais plutôt que d'embarquer dans le cercle vicieux des fausses chicanes !

Donne-moi des nouvelles !
Léa xox

À : Léa_jaime@mail.com
De : Marilou33@mail.com
Date : Samedi 26 décembre, 14 h 44
Objet : Maude, c'est de la petite bière comparée à Sarah

Salut !
Je t'écris d'en dessous de mes couvertures, d'où je ne pense pas sortir d'ici mardi. En fait, j'envisage de me terrer ici jusqu'à la fin de l'année scolaire. Après, je quitterai notre village pour toujours et je n'aurai plus à affronter les regards remplis de sous-entendus.

Je t'explique : Sarah a fait un retour en force. Elle a mis ses menaces à exécution et elle a frappé là où ça fait mal au moment où je m'y attendais le moins.

Tout a commencé hier. Après avoir passé le réveillon chez ma mère, Zak et moi avons déménagé nos cliques et nos claques chez mon père pour le traditionnel souper des Bernier.
J'étais en train de déballer le cadeau de ma grand-tante (des pantoufles roses en spandex à l'effigie de *La Reine*

des neiges – apparemment, elle n'avait pas réalisé que je n'avais plus six ans) quand quelqu'un a sonné à la porte.

Mon père : Marilou, c'est pour toi !

J'ai tout de suite pensé qu'il s'agissait de JP. Il m'avait dit qu'il ne pouvait pas se joindre à nous, mais c'était peut-être simplement pour me faire une surprise de Noël.

Tu peux donc t'imaginer mon étonnement lorsque j'ai vu Laurie qui patientait dans le vestibule. Je ne l'avais pas vue depuis plusieurs jours et elle n'avait répondu à aucun de mes appels.

Moi : Laurie ? Qu'est-ce que tu fais là ?
Laurie (visiblement mal à l'aise) : Je... euh... Je voulais te parler.
Moi (en souriant) : Le jour de Noël ? Ça ne pouvait pas attendre à demain ?
Laurie (sérieuse) : Non.
Moi : Entre, alors. Veux-tu quelque chose à boire ?
Laurie : Non, merci.
Moi : Un morceau de bûche ?
Laurie : Je n'ai pas super faim.
Moi : Ben voyons ! Tu dois bien avoir un peu de place pour du dessert !

Laurie (toujours aussi bizarre) : Lou, je ne peux pas rester longtemps. Est-ce qu'on peut discuter en privé ?

Son attitude commençait à me rendre nerveuse.

Moi : OK. Entre.

Je me suis excusée auprès de nos invités et Laurie m'a suivie dans ma chambre.

Laurie : Ferme la porte.
Moi : Laurie, mon père ne sera pas super content que je m'enferme ici alors que toute notre parenté est réunie dans le salon.
Laurie : Je comprends, mais crois-moi, tu ne tiens pas à ce qu'ils entendent ce que j'ai à te dire.

J'ai soupiré, mais j'ai fini par obéir.

Moi : Si c'est à cause de Jonathan, je te répète pour la cinquantième fois que je ne t'ai pas dit ça pour te faire du mal. Mon but dans la vie n'est pas de ruiner tes relations, Laurie.
Laurie : Je sais.
Moi (en poursuivant sur ma lancée) : Et je sais que tu te sens attaquée par mon intervention, mais j'ai agi comme ça

parce que je tiens à toi et que je ne veux surtout pas que tu perdes ta virginité avec un crosseur de la pire espèce.
Laurie : Tu as raison.
Moi (perplexe) : Hein ?
Laurie : Je ne suis pas venue pour me disputer avec toi, Lou. Ni pour t'engueuler de t'être mêlée de mes affaires. Je suis ici pour te dire que tu avais raison. Jonathan n'est pas honnête, et Sarah est aussi vorace qu'un serpent.
Moi (soulagée) : OK. Belle analogie. Mais si tu voulais qu'on se réconcilie, on aurait pu faire ça par texto.
Laurie : Oui, mais...
Moi (en l'interrompant) : Quoique je trouve ça le *fun* que tu te sois déplacée jusqu'ici. Ça nous permet de régler cette histoire une fois pour toutes.
Laurie : Lou... Ce n'est pas tout.
Moi : Qu'est-ce que tu veux dire ?
Laurie : Que si j'ai découvert le fin fond de cette histoire, c'est à cause d'un geste horrible que Sarah a fait.
Moi (le cœur battant) : Elle a sauté sur ton chum ?
Laurie : Ça, c'est le moins qu'on puisse dire.
Moi : Laurie, tu m'inquiètes, là. Qu'est-ce qu'elle a fait ?

Laurie a baissé les yeux.

Laurie : Quand tu m'as annoncé le truc des textos à l'école, j'ai senti une boule dans mon ventre. Avec le recul, je réalise que c'était un mauvais pressentiment. Mais je n'avais tellement pas envie de voir la réalité en face que j'ai préféré te bouder et fuir Jonathan pendant quelque temps. Après une couple de jours, il a toutefois débarqué chez moi pour savoir ce qui me poussait à ignorer ses appels. Je lui ai dit que tu m'avais raconté que Thomas avait cassé avec Sarah parce qu'il était tombé sur son cellulaire et qu'il avait vu des textos vraiment louches sans rien dévoiler de plus. Il m'a regardée d'un air innocent. Il avait la chance d'être honnête avec moi, mais il a préféré jouer la comédie et me faire croire qu'il n'avait rien à voir là-dedans. Je lui ai donc demandé de lire ses textos pour que je puisse en avoir le cœur net. Évidemment, il avait tout effacé. Je te jure qu'une partie de moi sentait qu'il me cachait la vérité, mais il est tellement bon manipulateur qu'il a fini par me convaincre que tu disais n'importe quoi et que jamais il ne tromperait sa blonde.

Elle s'est interrompue et a couvert son visage avec ses mains.

Moi (en posant une main sur son épaule) : Ça va ?
Laurie (en soupirant) : Non. J'ai tellement honte, Lou. Je ne croyais jamais que je me laisserais avoir par un gars. J'ai toujours cru...

J'ai senti des sanglots dans sa voix.

Laurie : J'ai toujours pensé que j'étais assez indépendante et intelligente pour ne pas tomber dans ce genre de panneau.
Moi : Qu'est-ce qui est arrivé ? Comment l'as-tu su ?
Laurie : Dans les jours qui ont suivi, Jonathan s'est mis à agir comme le plus attentionné des amoureux. J'avais droit à des textos langoureux, des fleurs, des surprises. Bref, rien pour m'aider à décrocher. Il m'a même invitée chez lui pour le réveillon. Peux-tu croire que j'aie été assez cruche pour accepter ?
Moi (d'une voix douce) : Je ne suis pas là pour te juger. Les amies, ça sert à consoler.

Je l'ai prise dans mes bras et elle a éclaté en sanglots.

Laurie (en se dégageant doucement et en essuyant ses larmes) : Tu ne devrais pas être aussi gentille avec moi. Si je n'avais pas laissé Jonathan m'ensorceler, tu n'en serais pas là, toi non plus.
Moi : Laurie, je t'avoue que je ne comprends ce que j'ai à voir dans ton histoire.

Elle a pris une profonde inspiration avant de poursuivre.

Laurie : En me levant ce matin, j'ai vu que Sarah Beaupré m'avait envoyé une invitation Facebook. J'étais assez

surprise puisque je n'ai jamais senti qu'elle me portait dans son cœur, mais j'ai essayé de me convaincre que c'était un acte de bonne foi et qu'elle voulait sûrement juste me prouver qu'il n'y avait rien de louche entre elle et Jo.
Moi : OK.
Laurie : Puis j'ai vu qu'elle m'avait aussi écrit un message.
Moi : Qui disait quoi ?

Laurie m'a tendu son cellulaire pour que je puisse le lire moi-même.

Lori,
Comme ton ami Mari-Loup c'est faite un plaisir de détruir ma relation avec Tom, je ne me jènerai pas pour ruiné la tienne. J'ai coucher avec ton chum au moins cinq fois parce que t'es trop retarder pour le faire.

Pis ton ami reine des Saintes-Nitouches est mal placé pour me jugé. Voici la preuve.

P.-S. Feliz Navidad !

J'ai cliqué sur le lien YouTube qu'elle avait envoyé en pièce jointe.

Sarah est alors apparue à l'écran, dans toute sa « splendeur ».

« Salut, chers abonnés. Bienvenue sur ma chaîne YouTube ! Aujourd'hui, je n'ai pas trop le goût de discuter de mode ou de musique. J'ai plutôt envie de vous offrir un cadeau de Noël en partageant une grande nouvelle avec vous. Imaginez-vous donc que j'ai appris de source sûre que Marilou Bernier, la petite rejet un peu *grunge* de secondaire cinq reconnue pour le chemin de fer qu'elle a porté dans sa bouche pendant plusieurs années, a enfin perdu sa virginité. Il paraît que Jean-Philippe a tellement eu pitié d'elle qu'il a fini par céder, mais que la pauvre Marilou était très nerveuse quand c'est arrivé. JP, si tu m'écoutes, on s'entend pour dire que tu aurais pu faire mieux ! Pour ce qui est de toi, Marie-Lou Ratée, je te dédie cette chanson parce que je sais que tu pourras bientôt t'y associer. Genre dès que JP va s'ouvrir les yeux et te laisser tomber. *Bye*, tout le monde ! *Feliz Navidad* ! »

Elle a ensuite enchaîné avec la chanson *I Love The Way You Lie* d'Eminem et Rihanna.

C'est là que j'ai réalisé que mes mains tremblaient et que des larmes coulaient sur mes joues.

Moi (sous le choc) : Laurie ? Combien de gens sont abonnés à sa chaîne ?
Laurie : Étonnamment beaucoup. Sans compter qu'elle a aussi publié le lien sur sa page Facebook.

Elle s'est approchée de moi et a posé sa main sur la mienne.

Laurie : Est-ce que c'est vrai que JP et toi... ?
Moi : Oui.
Laurie (en soupirant) : Je m'excuse, Marilou. J'aurais dû t'écouter et casser avec Jonathan quand il était temps.
Moi (en secouant la tête) : Ça n'aurait rien changé.
Laurie : Je me sens quand même responsable...
Moi : Je... Ça veut dire que... tout le monde est au courant ? Genre toute l'école ?
Laurie : Avec les vacances, j'imagine que plusieurs de ses abonnés ne verront pas la vidéo. Et je crois que les gars vont réussir à l'enlever avant que ça devienne trop viral.
Moi : Quels gars ?
Laurie : Après avoir lu le message de Sarah, j'ai tout de suite appelé Jonathan pour le confronter. Je lui ai lu le courriel de Sarah, et il est resté silencieux. Il ne pouvait plus nier quoi que ce soit. Il m'a donc demandé pardon. Il a même invoqué Noël pour que je passe l'éponge. Peux-tu croire ça ? Bref, je lui ai dit que je ne voulais plus jamais le revoir. Que non seulement il me dégoûtait, mais que je n'arrivais pas à croire qu'il ait choisi une *bitch* pareille pour me tromper et qu'il devait trouver une façon de convaincre sa sorcière de retirer la vidéo. Après avoir versé toutes les larmes de mon corps, j'ai reçu un appel de Thomas. Il avait déjà vu la vidéo et il voulait savoir si tu étais au courant. Je lui ai dit que je m'en venais ici pour t'en parler de vive voix,

et lui, il m'a assuré que tout serait effacé le plus rapidement possible.
Moi : Je n'arrive pas à croire qu'elle ait fait ça.

J'ai essuyé mes larmes.

Laurie (en me consolant) : Je sais que c'est Noël et que c'est le pire *timing* de la Terre, mais il fallait absolument que je t'en parle avant que tu tombes là-dessus par accident.

J'étais sous le choc. Je n'arrivais même pas à formuler une phrase complète.

Moi : Mon père ?
Laurie (en secouant la tête) : Nos parents sont d'une autre génération. Ça ne se rendra jamais jusqu'à lui.
Moi : Peut-être pas en ligne, mais il suffit que quelqu'un ouvre sa trappe...
Laurie : Alors tu lui diras que Sarah a lancé de fausses rumeurs pour te blesser. D'ailleurs, je me suis dit que ce serait peut-être la meilleure façon de contre-attaquer. On pourrait filmer quelque chose...
Moi : Ça ne servirait à rien.
Laurie : Laisse-moi finir. Peut-être que si tu expliquais que...
Moi (en secouant vivement la tête) : Je ne veux pas entrer dans son jeu. Ni me défendre de quoi que ce soit. Après

tout, je n'ai pas à me justifier ni à raconter ma vie sur les réseaux sociaux.
Laurie : Comment te sens-tu ?
Moi : Engourdie.
Laurie : Qu'est-ce que tu veux dire ?
Moi : Qu'il y a vingt minutes, je mangeais de la dinde et que ma plus grande préoccupation était de fuir les baisers de ma grand-tante, et que là, je dois *dealer* avec le fait que tout le village soit au courant d'un truc hyper personnel que j'ai vécu avec mon chum.

Un déclic s'est alors fait dans ma tête.

Moi : Je pense à ça... Comment Sarah l'a-t-elle appris ?
Laurie : Thomas m'a avoué que JP lui en avait parlé.
Moi : Et quoi ? Il a cru bon de confier ça à son ex-blonde qui me déteste ? Il est donc bien con, lui !

JP est arrivé sur ces entrefaites.

JP (en entrant dans la chambre et en refermant la porte derrière lui) : Thomas m'a téléphoné pour me dire ce qui s'était passé et j'ai accouru jusqu'ici.

Il m'a prise dans ses bras.

JP : Je m'excuse, Lou. Je n'aurais pas dû me confier à lui.

Moi (en haussant les épaules) : C'est ton meilleur ami.
JP : Je sais, mais j'aurais dû lui faire promettre de ne pas s'ouvrir la trappe !
Moi (en détournant les yeux) : Le mal est fait, JP.
Laurie : Bon, je vais vous laisser. Joyeux Noël quand même, Lou.
Moi (en sortant momentanément de ma torpeur) : Laurie, attends !

Je me suis dirigée vers elle et je l'ai enlacée.

Moi : Ce qui m'arrive n'enlève rien à tes propres malheurs ni au mal que Sarah t'a causé. Je suis désolée pour Jonathan.
Laurie (en essuyant une larme) : Merci.
Moi : Et crois-moi, elle finira par payer ses erreurs. On récolte toujours ce que l'on sème.
Laurie (en s'efforçant de sourire) : D'ici là, je vais essayer de voir le bon côté des choses en me disant que je n'ai plus à passer le jour de l'An chez elle.

J'ai souri à mon tour.

Mon père est aussitôt venu nous interrompre.

Mon père (en ouvrant) : Marilou ? Qu'est-ce que tu fais ? C'est Noël et tout le monde t'attend !

Moi (en m'efforçant de sourire) : J'arrive, papa ! J'ai reçu de la visite surprise et je n'osais pas les mettre dehors !
Mon père : Laurie et JP sont les bienvenus s'ils veulent rester, mais j'ai besoin de toi. Tante Thérèse essaie de me donner des becs mouillés depuis tantôt !

Je me suis tournée vers Laurie.

Moi : As-tu quelque chose de prévu ce soir ?
Laurie : Pas vraiment. Ma mère est dans le Sud avec son chum et mon père a invité la famille insupportable de sa blonde à la maison.
Moi : Alors tu vas rester avec nous.
Laurie : Tu es gentille, mais je ne veux pas m'imposer.
Mon père : Plus on est de fous, et plus on peut me sauver des griffes de Thérèse.

Laurie a souri et a suivi mon père dans la salle à manger.

JP (en me retenant par le bras) : Comment ça va ?
Moi : Mal. Mais c'est Noël, alors je dois faire semblant du contraire.

JP a soupiré.

JP : J'ai vraiment envie de rester, mais ma mère va me tuer si je ne les rejoins pas à la maison.

Moi : C'est correct. Je comprends. On se parlera demain.

JP m'a tendu une petite boîte emballée dans du papier journal.

JP : J'aurais aimé te l'offrir dans de meilleures circonstances. Joyeux Noël, Lou.

J'ai ouvert la boîte et j'ai souri en apercevant des boucles d'oreilles gravées de mes initiales.

Moi : C'est vraiment joli.
JP (en m'attirant vers lui) : Je les trouvais originales. Et uniques. Comme toi.

Je l'ai raccompagné jusqu'à la porte.

JP (en enfilant son manteau) : Je t'appelle demain ?
Moi : OK.
JP : Je n'aime pas ça te voir dans cet état.
Moi : C'est le choc. Et l'effet Sarah. Ça va passer.
JP (en m'embrassant sur le front) : Tout comme le reste. Essaie de te tenir loin des réseaux sociaux pour l'instant. Je te jure que ça va s'estomper. Et pour ce qui est de Sarah...
Moi (en l'interrompant) : Je n'ai pas envie de parler d'elle.
JP : Comme tu veux. Je t'aime, Lou.
Moi : Moi aussi. Joyeux Noël.

J'ai pris une profonde inspiration et j'ai fait un effort pour chasser Sarah de mes pensées avant de rejoindre ma famille.

La présence de Laurie et les blagues de mes oncles m'ont aidée à me changer les idées et à passer une « belle » soirée malgré la bombe qui venait de s'abattre sur ma vie. Ce n'est qu'au moment de me mettre au lit et de brancher mon cellulaire que la réalité m'a rattrapée. Comme Sarah avait eu la délicatesse de m'identifier dans son statut, plus de trente-cinq personnes avaient réagi en me félicitant ou en y allant de commentaires désobligeants. J'avais aussi reçu une dizaine de textos, dont un de Steph, un de Thomas et un de Sarah.

25-12 17 h 16
OMG ! *Sarah est folle ! Laurie m'a raconté et je viens de voir sa vidéo. J'espère que tu tiens le coup ! Ne t'en fais pour les ragots ; dans trois jours, les gens seront déjà passés à autre chose. Joyeux Noël ! Steph xox*

25-12 18 h 56
Salut, Marilou. Je voulais te dire que je suis sincèrement désolé pour tout ce qui t'arrive. Je réalise non seulement que mon ex est malhonnête, mais qu'elle est vicieuse et capable du pire. Sache que j'ai signalé sa publication et que son lien a été retiré de Facebook. Je l'ai aussi convaincue d'effacer la

vidéo sur YouTube. J'espère que tu arriveras à me pardonner de lui avoir fait confiance. Joyeux Noël. Thomas

25-12 20 h 12
Feliz Navidad, MariLoup. A l'avenir, tu saura qu'il ne faud pa prendre mes menace a la légaire. Ça t'apprendras à te méler de mes afaires. Sarah B.

Les autres textos provenaient de gens de ma classe qui m'envoyaient des ondes positives. J'ai soupiré et j'ai tout effacé. J'avais la tête qui tournait, et je savais que ça n'avait rien à voir avec la coupe de champagne que mon père m'avait offerte. Même si je savais que les vacances aideraient à atténuer l'impact de la vidéo, je me doutais bien que ce ne serait pas aussi facile pour moi.

Je sais que d'habitude, je suis du genre à m'assumer et à dire ce que je pense, mais là, c'est différent. C'est comme si Sarah avait exposé ma vulnérabilité et une partie de mon âme en dévoilant cette information à tout le monde. Peux-tu croire qu'elle a même eu le culot de dire que je m'étais sentie nerveuse ? Ça me frustre de l'admettre, mais elle a vraiment réussi à m'atteindre. Elle a touché à des émotions intenses et elle a ruiné un moment intime et un événement majeur que je chérissais. La preuve, c'est que je n'en avais parlé qu'à toi. Heureusement d'ailleurs que Laurie et Steph ont fait preuve de délicatesse et qu'elles n'en ont pas fait de cas. La tourmente me fait au moins réaliser que j'ai de la chance d'être entourée de personnes aussi loyales et sensibles.

J'ai mis plus de deux heures à m'endormir hier soir, et ce matin, je me suis réveillée avec une boule dans l'estomac et les yeux bouffis. J'ai toujours un peu le cafard le lendemain de Noël, mais cette année, c'est une armée de coquerelles qui se sont emparées de mon cœur. J'ai même refusé de quitter mon lit pour profiter du Boxing Day avec mon père comme le veut notre tradition. J'avais trop peur de croiser des gens qui auraient vu la vidéo et de devoir lui dire la vérité. J'ai donc préféré feindre un rhume et me terrer ici toute la journée. Je te jure que Montréal ne pourrait tomber plus à pic. Au moins, j'ai la certitude de ne pas croiser Sylvie la coiffeuse ou Lynda la restauratrice au Centre Eaton !

Sur ce, je vais poursuivre mon marathon d'*Awkward*. Après tout, Jenna est la seule personne au monde qui semble vivre des moments aussi honteux que moi.

Je t'aime et je compte les minutes jusqu'à lundi !
Lou xox

Chapitre 8 : Intervention et résolutions

27-12 11 h 01

Toc ! Toc ! Devine qui est là !

27-12 11 h 01

Léa ? Tu as récupéré l'accès à ton cellulaire ?

27-12 11 h 02

Oui ! Jeanne, je ca-po-te ! J'ai enfin l'impression de réintégrer le vingt-et-unième siècle !

27-12 11 h 02

C'est tellement cool ! Je vais enfin pouvoir te joindre plus rapidement.

27-12 11 h 03

Et ce n'est pas tout : le soir du réveillon, j'ai reçu un certificat m'accordant un droit de sortie pendant le séjour de Marilou !

27-12 11 h 03

Oh ! Ça veut dire que vous serez des nôtres, jeudi soir ?

27-12 11 h 04

Je ne sais pas encore. Marilou est au centre d'un ouragan en ce moment, alors je vais attendre de voir comment elle se sent.

27-12 11 h 04

J'imagine qu'il s'agit d'une tornade métaphorique ?

27-12 11 h 05

Ouais. Une fille qui la déteste a révélé un truc vraiment intime à propos de Lou dans une vidéo sur YouTube.

27-12 11 h 05

OMG ! Quelle horreur !

27-12 11 h 06

Ouais. Heureusement, la vidéo a été retirée rapidement, mais le mal est fait. Et Lou est encore tout à l'envers.

27-12 11 h 07

Je la comprends ! Ça doit tellement la mettre hors d'elle !

27-12 11 h 07

Mets-en ! Je viens justement de lui parler sur Skype et elle ne veut pas quitter sa chambre d'ici demain matin. Elle fait croire à tout le monde qu'elle a un gros rhume pour rester en confinement.

27-12 11 h 08

Ça lui fera du bien de changer d'air ! Parlant de ça, qu'est-ce que tu fais aujourd'hui ?

27-12 11 h 08

Mes parents m'ont convaincue de lâcher mon ordi et de les accompagner en ski de fond.

27-12 11 h 09

Wow ! Je peux me joindre à vous ?

27-12 11 h 09

Seulement si tu me promets de ne pas rire de moi !

27-12 11 h 10

Je ne ferais jamais ça, voyons ! Mais est-ce que j'ai le droit de prendre des photos pour l'album des finissants ?

27-12 11 h 10

Seulement si tu les retouches et que tu remplaces ma tête par celle de Maude !

27-12 11 h 11

Parlant d'elle, elle m'a écrit hier soir.

27-12 11 h 11

Sérieux ? Qu'est-ce qu'elle voulait ?

27-12 11 h 12

Me dire que je l'avais fait réfléchir.

27-12 11 h 12

Wow. Je ne croyais pas que c'était possible.

27-12 11 h 12

Moi non plus.

27-12 11 h 13

Et quoi d'autre ?

27-12 11 h 13

Qu'elle réalisait que j'avais toujours été là pour elle malgré tout et qu'elle trouvait ça poche de finir le secondaire en étant en froid avec moi à cause de José.

27-12 11 h 14

Penses-tu que c'est sincère?

27-12 11 h 15

Oui, mais non. J'ai déjà entendu son discours environ quarante-cinq fois depuis le début de leur relation. Chaque fois qu'elle casse avec lui, elle réagit de la même façon. C'est comme si sa rupture lui redonnait sa conscience. Elle se sent soudain mal d'avoir priorisé un gars comme lui et s'en veut d'avoir repoussé ses amies qui ont essayé de la prévenir qu'il allait une fois de plus lui faire du mal. Le problème, c'est que je sais très bien qu'elle va reprendre avec lui d'ici la Saint-Valentin.

27-12 11 h 16

Si ce n'est pas déjà fait!

27-12 11 h 16

D'un autre côté, c'est vrai qu'il ne nous reste que six mois de secondaire, et il me semble que ce serait le fun de pouvoir mettre tout ça derrière nous.

27-12 11 h 17

C'est drôle, mais c'est exactement ce que je me dis à propos d'Alex. Je ne peux pas taire mes sentiments, mais je ne veux pas non plus regretter de l'avoir ignoré pendant mes derniers mois à notre école alors qu'il a représenté tellement pour moi.

27-12 11 h 17

Sais-tu ce qu'on devrait faire ?

27-12 11 h 17

Laisser tomber le ski de fond et regarder des films toute la journée ?

27-12 11 h 18

Ben non, niaiseuse ! ;) On devrait prendre une résolution.

27-12 11 h 18

Laquelle ?

27-12 11 h 18

On pourrait se dire qu'on veut faire la paix avec le passé. Que même si mon amitié avec Maude est irréparable et que ta situation avec Alex est irréversible, ça ne veut pas dire qu'on ne peut pas regarder vers l'avant.

27-12 11 h 19

Hum... J'aime bien l'idée. Une résolution pour s'adapter aux changements et vivre dans le moment présent au lieu de se morfondre en pensant aux erreurs du passé.

27-12 11 h 19

Genre. (Quoi que la dernière fois que tu as fait appel au *carpe diem,* ça s'est plutôt mal passé !)

27-12 11 h 20

Ha ! Ha ! Ne t'en fais pas. J'ai eu ma leçon ! Bon, prépare tes trucs et viens chez moi ! On finira de discuter de tout ça pendant que je ferai semblant de skier !

27-12 11 h 20

Super ! J'arrive ! xx

À : Éloi2011@mail.com
De : Léa_jaime@mail.com
Date : Mercredi 30 décembre, 08 h 56
Objet : Je m'ennuie de toi !

Allo, meilleur-ami-qui-a-maintenant-une-vie-sociale-aussi-palpitante-que-celle-de-Félix-Olivier,
C'est Léa qui t'écrit. Comme je ne t'ai pas vu depuis plus d'une semaine et que tu es devenu très cool et populaire, je vais t'aider à me replacer : j'ai déjà été ta blonde, mais ton penchant pour le plein air a ruiné notre couple (Muah ! Ha ! Ha !) Je suis (un peu) petite, blonde et parfois gossante, mais tu m'aimes quand même. Ça te revient ?

Imagine-toi donc qu'hier après-midi, alors que Marilou et moi étions en train de fouiller le Web à la recherche de robes de bal qui ont de l'allure, mon frère Félix m'a annoncé quelque chose de très déconcertant (oui, j'utilise maintenant tes adjectifs *fancy* dans mes courriels) à ton sujet.

Félix (en frappant à la porte) : Salut ! Qu'est-ce que vous faites ?
Moi (sans lever les yeux de l'écran) : On essaie de se trouver une robe sans paillettes et sans froufrous pour être *cute* le jour du bal.

Félix : Hum... Léa, tu as pas mal de chemin à faire, mais Lou, tu es belle même en pyjama alors ça ne devrait pas être trop difficile.

J'ai tiré la langue et Marilou a froncé les sourcils.

Marilou (pince-sans-rire) : Relaxe-toi le pompon avec tes compliments. Ça m'a déjà assez causé d'ennuis dans le passé.

Félix a souri.

Félix : Vous n'êtes pas tannées d'être enfermées ici ? Ça fait quarante-huit heures que Lou est arrivée et vous n'avez pas mis un pied dehors.
Marilou : On avait beaucoup de choses à se raconter. Et madame Olivier n'a pas terminé son incarcération à domicile.
Moi (en haussant les épaules) : C'est correct. Je me suis habituée à l'hibernation. C'est confortable et je peux passer la journée habillée en mou.
Félix : OK, mais sache qu'Éloi, alias le roi des *nerds*, est rendu pas mal plus *wild* que toi.
Moi : Ça veut dire quoi, ça ?
Félix : Que ça fait trois jours que je le trimballe dans mes partys parce qu'une fille de première année du cégep lui est tombée dans l'œil.

Je l'ai regardé en écarquillant les yeux.

Moi : C'est quoi, l'affaire ? Tu n'as pas assez de tes trois millions d'amis ? Il faut en plus que tu accapares les miens ?
Félix : Relaxe. Éloi et moi avons toujours été proches.
Moi : Et je n'ai d'ailleurs jamais compris pourquoi. Vous êtes tellement différents.
Félix : Justement. Les contraires s'attirent. Et apparemment, les encyclopédies ambulantes telles que lui ont beaucoup de succès auprès des filles.
Marilou : Tu n'es pas jaloux de la compétition ?
Félix : Au contraire. J'ai enfin un complice de *cruise* !
Moi : Et Zack, lui ?
Félix (en haussant les épaules) : Il est devenu super soumis et il n'a plus le droit de sortir.
Moi : Peut-être que sa blonde a simplement réalisé que tu avais une mauvaise influence ?
Félix : Je pense au contraire qu'elle a peur que je lui fasse prendre conscience que leur relation est beaucoup trop intense.
Marilou : Qu'est-ce que tu veux dire ?
Félix : Qu'il est trop jeune pour penser à emménager avec elle ! Pourquoi ne pas se marier, tant qu'à y être ?

Marilou a détourné le regard. Comme son chum JP fait de plus en plus allusion à des plans sérieux d'avenir, je savais que le discours de Félix ne la laissait pas indifférente.

Moi : Pff. Il y a à peine quatre mois, c'est toi qui voulais déménager en France et passer ta vie avec Manon des sources !

Félix a ri.

Félix : Je sais. Je suis la preuve vivante que l'amour peut nous faire dire n'importe quoi.
Moi (en essayant de changer de sujet) : Est-ce que tu venais simplement nous déranger pour nous exposer « la vision de la vie selon Félix Olivier » ?
Félix : Non. Comme je sais que tu n'as toujours pas utilisé ton droit de sortie, je voulais essayer de mettre un peu de piquant dans votre routine plate et vous proposer de m'accompagner à un party épique vendredi soir. C'est au dernier étage d'un édifice du centre-ville !
Moi : Non merci. Si jamais on décide de sortir le 31, on ira rejoindre mes amis.
Félix : Tu préfères défoncer la nouvelle année avec le gars qui t'a brisé le cœur et qui t'a enlevé ta joie de vivre ? Wow. C'est le *fun,* comme projet. Tant qu'à y être, je pourrais me joindre à ta torture, prendre un avion pour Paris et lire du Baudelaire avec Laure.

Marilou a retenu un rire et j'ai roulé les yeux.

Moi : Ça ne se compare pas. Alex fait partie de ma gang. Lou, peux-tu lui expliquer qu'il n'a pas rapport, s'il te plaît ?

Je me suis tournée vers mon amie, qui se mordait la lèvre, l'air songeur.

Marilou : Félix n'a pas tout à fait tort, Léa.

Mon frère a levé le bras en signe de victoire et s'est avancé vers Marilou pour lui faire un *high five*.

Félix : *That's the spirit !*
Marilou (en tapant dans sa main) : Hein ?
Félix : J'aime ton attitude !
Marilou (en souriant) : Ce n'est pas parce que je n'encourage pas Léa à se torturer l'esprit et le cœur que j'endosse tes discours de gars nonchalant !
Félix : Tu serais pourtant beaucoup moins morose si tu adhérais à ma vision de la vie.
Marilou : Le pire, c'est que c'est sûrement vrai.
Félix : C'est clair que j'ai raison. *Come on*, les filles ! C'est le Nouvel An ! On remet les pendules à zéro et on oublie les peines d'amour. Il est temps de profiter de la vie un peu.
Marilou (en se motivant et en se relevant d'un bond) : OK ! Je suis *in* !
Moi : Euh, allo ? Éloi ne me le pardonnerait jamais s'il apprenait que j'avais *flushé* son party pour le tien.

Félix : Au contraire. Je lui en ai parlé, et il pense que vu ton état, c'est préférable que tu m'accompagnes.
Moi : Qu'est-ce qu'il a, « mon état » ?

Marilou et Félix ont échangé un regard rempli de sous-entendus.

Moi : Eille ! Pourquoi vous vous regardez comme ça ?
Marilou (en fermant l'écran-rabat de mon ordi et en prenant ma main gauche) : Léa, je pense que l'heure est arrivée de te faire une petite intervention.

Félix s'est assis à ma droite.

Moi : De quoi tu parles ?
Félix : Marilou, Éloi et moi, on veut que tu sortes de ton état végétatif.
Moi : C'est toi, le légume.
Félix : Tu vois ? Même ton sens de l'humour en est affecté.
Moi : Félix, tu exagères ! Je vais beaucoup mieux qu'il y a quelques semaines.

Un ange est passé et les deux m'ont observée comme si je délirais.

Moi : Pourquoi vous me regardez comme ça ? Je suis si pire que ça ?

Félix : Pas si on te compare à une carpe.
Marilou : Ce que Félix essaie maladroitement de te dire, c'est que même si on sait que tu arrives à contenir ta peine et que tu as plein de projets pour t'étourdir, on te sent encore un peu...
Félix (en terminant sa phrase) : Vedge. Et verte.
Moi (en me tournant vers Marilou) : Je pensais que tu étais contente de venir hiberner avec moi. Et que tu avais besoin de ça, toi aussi.
Marilou (en grimaçant) : C'est vrai qu'au cours des quatre derniers jours, j'ai eu envie de me terrer comme une marmotte, mais là, je suis tannée de me cacher. Il est temps de réagir. Sarah Beaupré ne mérite pas que je sois misérable. Et toi, tu n'as pas à te transformer en flaque de morve à cause d'Alex Gravel-Côté.
Félix : C'est vrai que tu as le tonus d'une crotte de nez, la sœur.
Moi (sur la défensive) : Vous êtes mal placés pour parler ! Lou, tu as passé l'été avec l'hygiène d'une marathonienne après une course, et Félix, une famille de mouches à fruits a passé l'automne dans tes cheveux !
Félix : Et si tu te souviens bien, c'est *toi* qui nous as donné le coup de pied dans le derrière dont on avait besoin pour nous sortir du néant émotif et pour nous forcer à prendre une douche.
Marilou (en me prenant la main) : Et là, il en revient à nous de faire la même chose pour toi. Ce n'est pas en enfouissant

ta peine au fin fond de ton cœur et en te barricadant dans ta chambre que tu vas retrouver le sourire, Léa.
Moi : Peut-être pas, mais je ne crois pas non plus qu'assister à un party supposément épique soit la solution à mon spleen. Si je me fie à mes expériences, ça risque plutôt de m'attirer des ennuis.
Marilou : Mais non ! Cette fois-ci, ce sera différent ! Premièrement, on ne boira pas. Deuxièmement, je serai là. Et troisièmement, c'est le jour de l'An. Comme dit Félix, c'est le moment parfait pour recharger ses batteries et repartir à zéro.
Moi (en me laissant convaincre) : Et vous pensez que les parents vont être d'accord ?

Ma mère est alors apparue dans l'embrasure de ma porte.

Ma mère : Oui. Je pense que les dernières semaines t'ont fait réfléchir et j'ai confiance en ton jugement.
Moi : Maman ? Tu écoutes aux portes, maintenant ?
Ma mère : Non. Je viens simplement chercher ton frère pour qu'il m'aide à mettre la table.

Félix a suivi ma mère en chantonnant.

Moi (en baissant les yeux) : Moi qui croyais avoir fait du progrès.

Marilou : Et c'est sûrement le cas ! Je dis simplement qu'on devrait profiter toutes les deux de la nouvelle année pour recharger nos batteries et regarder droit devant.
Moi : Jeanne m'a dit la même chose. Elle a même suggéré de prendre des résolutions.
Marilou : C'est une excellente idée !

Elle s'est levée et m'a tendu une feuille et un crayon.
Marilou : Trouves-en quelques-unes et écris-les. On pourra se les partager juste avant minuit.
Moi (en lui tendant la main) : *Deal !*

Marilou s'est mise à rédiger ses commandements tandis que mon esprit errait un peu.

Moi (un peu honteuse) : Je sais que c'est pathétique, mais une partie de moi est déçue de ne pas aller chez Éloi.
Marilou : Tu veux parler de la masochiste qui souffre chaque fois qu'elle voit Alex ?
Moi : Exact. Félix et toi, vous avez raison. J'entretiens ma peine en nourrissant le microscopique espoir qu'il change d'idée.
Marilou (en pointant ma feuille) : Tu tiens quelque chose, là ! Tourne ça en résolution.

Elle a mâchouillé son crayon en regardant dans les airs.

Moi : À quoi tu penses ?
Marilou : À JP, qui doit se morfondre en ce moment.
Moi : Pourquoi ?
Marilou : Parce que je ne l'ai pas revu après Noël et que je suis partie en coup de vent. Malgré notre discussion, je sens aussi qu'une partie de moi alimente la tension qui s'est installée entre nous depuis le fameux jour J. Tu vois ? Je peux être malsaine, moi aussi !
Moi (en riant) : À ton tour d'en faire une résolution !

Je me suis mordu la lèvre et j'ai pris une profonde inspiration.

Moi : Lou ? Il faut que je t'avoue quelque chose.
Marilou : Je t'écoute.
Moi : J'espère que tu ne m'en voudras pas, mais je me suis tellement sentie bouleversée par ce que tu vivais que j'ai ressenti le besoin d'en parler à quelqu'un...
Marilou : Pas à Félix, j'espère ?
Moi : Es-tu folle ?
Marilou : À qui, alors ?
Moi : Éloi. Comme c'est la personne la plus discrète au monde, je savais que je pouvais lui faire confiance. Es-tu fâchée ?
Marilou : Au contraire. Je suis plutôt reconnaissante de voir à quel point tu es solidaire de ma honte.

Moi : Pour être honnête avec toi, ce n'est pas juste le geste de Sarah qui m'a ébranlée.
Marilou : C'est quoi, alors ?

J'ai fermé la porte de ma chambre avant de poursuivre.

Moi (en m'assoyant en Indien à côté d'elle) : C'est l'ensemble de la chose.
Marilou : Il va falloir que tu sois plus précise, Léa.
Moi : Je sais, mais ça me gêne.
Marilou : *Come on !* C'est moi ! Tu peux tout me dire.
J'ai pris une profonde inspiration.

Moi : Je sais que c'est niaiseux, mais ça m'a fait bizarre d'apprendre que toi et JP, vous l'aviez fait.
Marilou (d'un ton très calme) : Qu'est-ce que tu veux dire ?
Moi : Je trouve ça plate de ne pas pouvoir m'identifier à ce que tu vis.
Marilou : Es-tu certaine qu'il n'y a pas autre chose qui te chicote ?
Moi : Comme quoi ?
Marilou : Comme le fait que ce soit la première fois que je franchisse une étape avant toi.
Moi (un peu sur la défensive) : Non ! Tellement pas !
Marilou (en souriant) : Je ne dis pas ça pour t'attaquer, Léa ! Moi aussi, je me suis sentie bizarre la première fois que tu as embrassé un gars. Mais avec les années, je me

suis habituée à ce que tu vives les expériences avant moi. C'est même devenu rassurant, parce que je savais à quoi m'attendre. Mais là, les rôles sont inversés, et tu es juste un peu perdue parce que pour une fois, c'est toi « l'élève ».

J'ai éclaté de rire.

Moi : Si c'est le cas, j'ai une question pour vous, madame Bernier.
Marilou : Je vous écoute, mademoiselle Olivier.
Moi (en rougissant) : Je sais que c'est personnel, mais... est-ce que ça fait mal ?
Marilou (en haussant les épaules) : Un petit peu. Mais j'étais tellement stressée que ça n'a sûrement pas aidé.
Moi : Et sens-tu que ça t'a changée ?
Marilou : Oui. Depuis que c'est arrivé, je me suis métamorphosée en toi et je me pose beaucoup trop de questions.

J'ai ri et je lui ai lancé un oreiller.

Marilou : Honnêtement, ça m'a surtout fait réaliser à quel point c'était important de le faire avec quelqu'un qu'on aime et de qui on se sent proche.
Moi (en soupirant) : Et qu'est-ce qui arrive si je ne rencontre jamais personne qui me fait sentir comme Alex ?

Marilou (pince-sans-rire) : Tu pourras prêcher l'abstinence dans les écoles ?
Moi (en riant) : Eille !
Marilou : Ça va venir, Léa ! Il faut juste que tu te laisses du temps. Dans quelques mois, tu rentreras au cégep et tu auras droit à tout un renouveau masculin.

J'allais poursuivre avec mes questions, mais mon frère est venu nous avertir que le souper était prêt. Après avoir mangé, nous avons loué un film d'action plate avec Félix et je me suis endormie pendant les premières cascades. Et comme Marilou ronfle encore, je voulais en profiter pour te résumer les derniers jours et t'annoncer que :

1- Je ne serai pas des vôtres demain soir, mais que...
2- C'est un peu de ta faute puisque tu es d'accord avec Félix, et que...
3- Je te souhaite bonne chance avec ton nouveau *kick* ! (C'est quoi, son nom ? Je veux des détails !)

Pour le reste, j'espère que vous aurez beaucoup de *fun* demain soir, et je te souhaite une super belle année remplie de moi, de Félix à petites doses, de bonheur et d'amour !

Léa xox

À : Léa_jaime@mail.com
De : Jeanneditoui@mail.com
Date : Vendredi 1er janvier, 10 h 21
Objet : BONNE ANNÉE !

Bonne année, Léa ! Est-ce que tu t'es amusée au party de Félix ? En tout cas, sache que tu m'as beaucoup manqué hier soir et que tu as raté pas mal d'action ! Comme je vais visiter ma grand-mère pendant quelques jours, je voulais absolument t'écrire avant mon départ, question de te résumer notre soirée.

Tu sais déjà que j'ai longuement hésité à inviter Jules. Comme je ne l'avais pas revu depuis le party où on s'est embrassés, je ne savais pas si ç'avait rapport de le relancer, d'autant plus que je ne veux pas de chum en ce moment. Mais comme on s'est écrit presque tous les jours au cours des dernières semaines et que je suis toujours excitée à l'idée de *chatter* avec lui, je me suis dit que sa présence pourrait mettre un peu de piquant dans la soirée.

Hier matin, j'ai fini par craquer et lui lancer une invitation de dernière minute, et à ma grande surprise, il a accepté. Il m'a dit qu'il avait prévu passer la soirée avec son meilleur ami, mais qu'ils n'avaient pas de plan précis et que le party d'Éloi tombait à pic.

Sur le coup, j'étais plutôt contente, mais quand Katherine est venue me rejoindre chez moi en fin d'après-midi pour qu'on se prépare ensemble, j'ai senti le stress monter d'un cran. C'est con, mais j'avais peur qu'en le revoyant en chair et en os, on perde la complicité qu'on avait réussi à créer cybernétiquement. Et je me trouvais nouille d'être obsédée par des détails comme la tenue que j'allais porter alors que je m'étais promis de ne pas me casser la tête avec les gars d'ici le cégep.

Nous sommes finalement arrivées chez Éloi. Son salon était déjà plein à craquer.
Éloi (en nous accueillant et en posant un chapeau sur nos têtes) : Salut, les filles !
Moi (surprise) : C'est qui, tout ce monde-là ?
Éloi : Il y a des amis de Félix qui ont décidé de venir faire un tour avant de le rejoindre.
Katherine : En tout cas, c'est plate que Léa ne soit pas là.
Alex (en se joignant à nous) : C'est donc officiel ? Elle ne viendra pas ?
Moi : Non. Elle est sortie avec Marilou, Félix et ses amis.
Alex (en se renfrognant) : C'est bizarre, ça.
Katherine : Pourquoi ?
Alex (visiblement déçu) : Je ne sais pas. Il me semble que ça ne lui ressemble pas de laisser tomber les mousquetaires pour un party de cégep.
Moi : Nouvelle année, nouvelle Léa !

J'ai souri et je suis allée me servir à boire. Maude est aussitôt apparue à ma droite.

Maude : Salut !
Moi (surprise) : Allo ! Je suis étonnée de te voir ici. Je croyais que tu détestais Éloi.
Maude : Ouais, mais comme il s'est approprié *mes* amis pour la soirée, j'ai décidé de venir et d'ignorer son existence au lieu de rester seule chez moi.
Moi : C'est quand même l'hôte du party, Maude. Un petit « merci » ne serait pas de trop.
Maude (en haussant les épaules) : Je ne suis pas venue ici pour lui.
Moi : Tu veux surveiller José de plus près ?
Maude (en feignant de bâiller) : Ne me parle pas de lui. Il me court après depuis dix jours.
Moi : Et tu vas le torturer combien de temps avant de le reprendre ?
Maude : Qu'est-ce qui te dit que je vais passer l'éponge, cette fois-ci ?
Moi (en riant) : *Come on*, Maude. Raconte ça à d'autres.

Songeuse, Maude a détourné le regard.

Maude : Je sais que tu n'approuves pas ma relation, mais malgré les apparences, José n'est pas un monstre. Et je sais qu'il m'aime. Les problèmes qu'il a connus à la maison lui font juste faire beaucoup de conneries.

Elle faisait allusion au fait que le père de José avait quitté sa mère, son frère et lui alors qu'il n'était âgé que de huit ans.

Moi : Je comprends qu'il ne l'a pas eu facile, mais tu n'as pas à payer pour ça.
Maude : Tout est différent quand on est seuls. Il s'ouvre à moi et me montre sa vulnérabilité. Et il m'écoute. Il est mon meilleur ami, Jeanne. Tu peux comprendre ça, non ?

J'ai réfléchi quelques instants. Honnêtement, aucune de ses explications ne m'aidait à saisir son masochisme, mais je savais que pour tenir ma résolution, il valait mieux lâcher prise.

Moi : L'important, c'est que tu sois heureuse.

Elle a semblé déstabilisée par ma réponse.

Maude : Merci. Je travaille fort là-dessus.
Moi (en souriant) : Cool. Bonne année, Maude !

Je m'apprêtais à rejoindre Katherine quand j'ai vu Jules et son ami qui arrivaient. La bonne nouvelle, c'est que je l'ai tout de suite trouvé plus beau que dans mon souvenir.

Moi (en m'efforçant de cacher ma nervosité) : Salut ! Vous n'avez pas eu trop de misère à trouver l'endroit ?
Jules (en m'embrassant sur la joue) : Non. Un ami d'Antoine habite dans la même rue.
Antoine : Enchanté, Jeanne. Jules m'a beaucoup parlé de toi.
Moi (en rougissant) : En bien, j'espère ?
Jules : Mets-en ! Tu es la seule personne que je connaisse qui partage ma passion pour le tennis.

J'ai ri en m'efforçant de cacher ma déception. Mettons que j'aurais préféré qu'il vante mon intelligence au lieu de s'attarder sur notre passe-temps commun. Katherine est aussitôt venue se joindre à notre groupe.

Katherine (en battant des cils comme elle seule sait le faire) : Salut, chers inconnus ! Moi, c'est Katherine.
Jules (en riant) : Allo ! Moi, c'est Jules. Et voici mon ami Antoine. On est un peu rejets parce qu'on ne connaît personne, mais on est sociables de nature, alors ça devrait aller.
Katherine (en tendant la main à Antoine) : Viens, je vais te présenter aux autres !

Jules les a regardés partir en écarquillant les yeux.

Jules : On peut dire qu'elle sait ce qu'elle veut.
Moi (en fronçant les sourcils) : Oui, mais aux dernières nouvelles, il s'appelait Olivier.
Jules (en souriant) : Ne t'en fais pas pour Antoine. Il vient de se sortir d'une relation de deux ans et il cherche simplement à avoir du *fun*.

Le temps a ensuite filé à la vitesse de l'éclair. J'alternais entre Jules, qui s'était rapidement lié d'amitié avec Olivier, Alex, Éloi, José et sa gang, et la piste de danse.

Juste avant minuit, j'ai réussi à intercepter Katherine alors qu'elle se rendait aux toilettes.

Moi (en fermant la porte derrière nous et en m'assoyant sur la cuvette) : Qu'est-ce qui se passe, Kath ?
Katherine (en jouant l'innocente) : Hein ? Rien ! Pourquoi tu me demandes ça ?
Moi : Parce que tu as passé plus de temps avec Antoine qu'avec Oli de qui tu es supposément follement amoureuse !

Katherine a soupiré.

Katherine : Il me gosse, Jeanne. J'ai l'impression qu'il ne sait pas ce qu'il veut.

Moi : Qu'est-ce que tu veux dire ?

Katherine : Qu'on s'est vus deux fois depuis le début des vacances et que ça n'a abouti nulle part.

Moi : Il t'avait prévenue qu'il voulait prendre son temps, non ?

Katherine : Oui, mais on dirait qu'on régresse et qu'il agit avec moi de la même façon qu'il le fait avec Bianca. Je l'ai vu quand il sortait avec Léa, et ça n'a rien à voir avec la façon dont il me traite. J'ai le *feeling* qu'il n'est juste pas amoureux de moi.

Moi : Pourquoi tu ne lui poses pas carrément la question ? Tu n'as rien à perdre.

Katherine (en se mordant la lèvre) : Ce n'est pas plus simple de voir si je peux le rendre jaloux ?

Moi : Moi, je crois que ça risque juste de t'éloigner de lui.

Katherine (songeuse) : Tu as peut-être raison. Et toi, comment ça avance avec Jules ?

Moi (en souriant) : J'attends qu'il fasse un *move*.

Katherine : Pour reprendre tes sages paroles, pourquoi tu ne fonces pas toi-même ?

Moi (en grimaçant) : J'avoue que c'est moins facile quand Léa n'est pas là pour me motiver avec son *carpe diem* !

Quelqu'un a frappé à la porte et a interrompu notre conversation.

Marianne (en cognant) : Allo ? C'est parce qu'on a envie, nous aussi !
Moi (en ouvrant) : Salut, Marianne ! Je ne savais pas que tu venais ce soir.
Marianne (un peu sur la défensive) : Éloi est mon ex. Vous n'avez pas le monopole sur lui.
Jeanne : Relaxe. Ce n'était pas une attaque.
Marianne (en soupirant) : Je m'excuse. C'est Sophie qui m'a mise de mauvaise humeur.
Moi : Comment ça ?
Marianne : Parce qu'elle s'est mise dans la tête d'embrasser Olivier d'ici la fin de la soirée alors qu'elle sait très bien que j'ai un *kick* sur lui. *Anyways*, il faut vraiment que je fasse pipi. On se parle plus tard.

Elle a refermé la porte et j'ai passé un bras autour des épaules de Katherine.

Katherine (sarcastique) : C'est tout ce qui me manquait, ça. De la compétition !
Moi : Oli est un super beau gars, ce qui est une denrée rare dans notre école. Ce n'est pas étonnant que la moitié des filles aient un œil sur lui.

Elle m'a regardée en écarquillant les yeux avant de partir en flèche. Ma remarque l'avait apparemment encouragée à foncer et à parler à Oli.

J'ai rejoint Jules juste à temps pour le compte à rebours de minuit.

Moi (en souriant) : Bonne année !
Jules (en profitant des célébrations pour m'embrasser sur les lèvres) : À toi aussi.
Moi (en souriant) : Ça commence bien, en tout cas !
Jules (en inclinant légèrement la tête) : Jeanne, il faut que je sois honnête avec toi.
Moi (en fronçant les sourcils) : Tu as une blonde ?
Jules : Ben non !
Moi : Tu es gai ?
Jules : Non plus.
Moi : Tu aimes juste les blondes ?
Jules : Niaiseuse.
Moi : Je t'écoute.
Jules (en s'adressant à moi comme si j'étais un oiseau blessé) : Je te trouve géniale et j'adore passer du temps avec toi, mais je ne veux pas de blonde en ce moment, et je ne voudrais surtout pas que tu te fasses d'idées.

Sa phrase m'a aussitôt fait perdre mon sourire. Même si je ne voulais pas non plus de relation, j'étais en colère qu'il me lance ça trois fractions de seconde après m'avoir embrassée. Et je me sentais terriblement conne d'avoir succombé à son charme.

Moi (en reculant d'un pas) : Qui t'a dit que je voulais sortir avec toi, Jules ?
Jules : Personne, mais...
Moi : Tu sais, ce n'est pas parce qu'on s'est embrassés dans une fête il y a genre deux mois que je suis amoureuse de toi.
Jules : Tu as mal interprété mes paroles.
Moi (en souriant) : Au contraire. Je pense que c'est toi qui me comprends mal. Je n'ai jamais désiré que tu sois mon chum. Je voulais juste avoir du *fun* avec toi. Mais ta condescendance est tellement *turn off* que je préfère aller voir ailleurs. *Bye*.

J'ai tourné les talons et je suis allée prendre une bouffée d'air dehors pour me calmer. Alex s'est joint à moi quelques instants plus tard.

Alex (en frottant ses mains ensemble pour se réchauffer) : Salut !
Moi (en le serrant contre moi) : Eille ! Bonne année !
Alex (en me souriant) : À toi aussi.

Il s'est assis près de moi et a regardé le ciel sans rien dire.

Moi : Ça va ?

Alex : Ouais. Je suis juste en train de faire un petit bilan de la dernière année. Et il y a des choses qui me rendent un peu triste.
Moi : Comme quoi ?

Il s'est contenté de hausser les épaules.

Moi : *Come on*, Alex. C'est moi. Tu peux me parler.
Alex : Je ne sais pas. On dirait que tout a changé et ça me fait chier.
Moi : De quoi tu parles ?
Alex (en tournant la tête vers moi) : De nous. Il n'y a pas si longtemps, Léa, toi et moi on était inséparables, mais depuis que c'est *weird* avec elle, j'ai l'impression de vous avoir perdues.
Moi (en essayant d'être encourageante) : Tu exagères ! Je suis là, moi ! Et le reste va finir par se replacer.
Alex : Tu as sûrement raison. Après tout, toi et moi, on est amis même si on est déjà sortis ensemble.
Moi : Exact. Et tu es aussi passé par là avec d'autres.
Alex : Ben non ! Qui ?
Moi : Marianne ?
Alex : C'était en secondaire deux !
Moi : Maude ?
Alex : Pff. On s'est donné un bec une fois à l'ère pré-José. C'était il y a genre quatre siècles de ça.
Moi : Bianca ?

Il m'a regardée d'un drôle d'air.

Moi : Je sais que vous vous êtes embrassés.
Alex : Qui te l'a dit ?
Moi : Katherine.
Alex : Est-ce que Léa est au courant ?

J'ai hoché la tête. Il est resté silencieux.

Alex (un peu nerveux) : Comment a-t-elle réagi ?
Moi : Bien. Léa est consciente que tu ne lui dois rien, Alex.
Alex : Et elle, est-ce qu'elle voit quelqu'un ?
Moi : Il faudrait que tu lui demandes.
Alex : Tu ne peux pas me donner un indice ?

Katherine est alors arrivée en trombe. Elle pleurait.

Katherine : Jeanne ! Je te cherchais partout !
Moi : Qu'est-ce qu'il y a ? C'est Oli ?
Katherine : Oui. Juste avant minuit, je lui ai dit que j'avais besoin d'une réponse, parce que j'étais tannée d'attendre, et il m'a dit qu'il avait encore besoin de temps. J'ai pogné les nerfs et je lui ai donné un ultimatum, mais il a essayé de contourner la question. Je me suis éloignée en espérant que ça le fasse réagir, mais Marianne en a profité pour se coller contre lui. Non seulement il ne me court pas après, mais il se laisse *cruiser* par une autre ! Je capote !

Alex : Si je peux me permettre, je pense juste qu'Olivier a besoin d'être certain de ce qu'il ressent. S'il n'est pas prêt, ça ne sert à rien de faire pression sur lui.
Moi (en me tournant vers Alex et en pognant les nerfs) : Non, mais, c'est quoi votre problème ?
Alex : Euh, de qui tu parles ?
Moi : De l'espèce masculine ! Jules s'imagine que je veux sortir avec lui, Olivier est trop pissou pour tenter sa chance avec Kath, et toi, tu es trop épais pour réaliser que tu as des sentiments pour Léa et que c'est pour ça que tu passes ton jour de l'An à te morfondre dehors !

Alex m'a regardée en écarquillant les yeux.

Alex : Je... Euh...
Moi : Ben oui, c'est ça. Va perdre ton temps dans ton célibat avec Olivier et Jules. Viens, Kath ! On va aller célébrer la nouvelle année entre filles !

J'ai tiré Katherine vers la piste de danse et on a passé une demi-heure à chanter et danser à tue-tête pour nous défouler, et après avoir remercié Éloi, nous sommes rentrées chez moi en ignorant les gars.

Ce matin, je me suis réveillée avec une nouvelle résolution : cette année, je me concentrerai sur mon inscription au cégep, mes amis, mes entraînements de tennis, mes projets scolaires et notre voyage en France, mais je ne laisserai plus un gars miner mon humeur. Après tout, j'ai déjà tout ce qu'il faut pour être heureuse !

Sur ces paroles de féministe engagée (#NouvelleJeanne), je nous souhaite à Kath, toi et moi une année remplie de renouveau, de gars matures, de rires extrêmes, de folies et surtout d'amitié. Parce qu'au fond, c'est ça qui compte !

Je t'aime !
Jeanne xox

À : Jeanneditoui@mail.com
De : Léa_jaime@mail.com
Date : Vendredi 1er janvier, 13 h 18
Objet : Vive l'amitié !

Salut !

Je t'écris en vitesse parce que Marilou m'attend pour préparer le souper du Nouvel An.

Sache tout d'abord que Kath et toi m'avez aussi beaucoup manqué ! Et que je suis vraiment impressionnée par ton attitude. Je comprends que le discours de Jules ait piqué ton orgueil, et tu as bien fait de remettre les pendules à l'heure et de lui répondre avec autant d'aplomb. Ç'a dû lui en boucher un coin. Je sais que sa conduite a dû te décevoir au plus haut point, mais dis-toi que tu en as maintenant le cœur net et que tu peux mettre ça derrière toi !

Pour Oli, même si je suis certaine qu'il n'agit pas comme ça pour faire de la peine à Katherine (il est juste très lent à se décider), je la comprends de s'être énervée. Je sais qu'elle misait beaucoup sur ce party pour se rapprocher de lui et qu'elle a dû être terriblement déçue. J'espère aussi qu'Oli a su utiliser son cerveau et n'a pas succombé aux attaques de Marianne. Sinon, son chien est officiellement mort.

Et pour ce qui est d'Alex... je ne sais pas trop quoi dire. Je le comprends d'avoir de la peine de voir notre super trio démantelé, car j'en ai aussi, mais il a sa part de responsabilité. Et je ne peux plus m'attarder à ce qu'il ressent, car ça me fait faire du surplace et ça va à l'encontre de mes résolutions.

De plus, c'est sûr que ton intervention l'a poussé à réfléchir, mais la #NouvelleLéa refuse de s'accrocher à un espoir. En effet, elle sait pertinemment que même si ta remarque l'a forcé à admettre qu'il éprouvait (peut-être) des sentiments pour elle, ceux-ci sont déjà bien enterrés au fin fond de son

cœur. Il me revient donc de faire de même et de passer à un autre appel.
Parlant de ça, je crois avoir fait une avancée magistrale hier soir.

Dès que j'ai mis le pied dans le club privé où se tenait le party, j'ai compris que j'avais pris la bonne décision en choisissant le party de mon frère.

Moi (en me frottant les yeux) : La vue est DÉBILE !
Marilou (en se précipitant vers une fenêtre pour admirer les édifices illuminés) : Mets-en !
Félix : Je vous avais dit que ce serait un party épique.

J'ai balayé la pièce du regard. Des dizaines de personnes trinquaient, riaient et dansaient au rythme de la musique du DJ qui était perché dans une cabine trois mètres au-dessus de nous.

Moi : C'est aussi très pratique que tu connaisses le *bouncer*. Ça m'évite de devoir lui acheter des biscuits.

Zack s'est alors approché de nous, les bras ouverts. Il portait une tunique noire et une sorte de ceinture fléchée.

Zack : Salut, belles gens !
Moi : Salut, Zack. Ta tenue est... originale.

Félix (en se tapant la cuisse) : On dirait le Bonhomme Carnaval en lendemain de veille !

Zack : C'est Lilas qui a choisi mon *kit*.

Moi : Qui ?

Zack : Ma blonde.

Moi : Tu me niaises, là ? Tu es passé de Marie-Fleur à Lilas ?

Zack (un peu insulté) : Ce n'est qu'un hasard.

Félix : Avoue-le donc que tu es abonné à un site de rencontres d'horticulteurs.

J'ai ri.

Zack : Je vous présente Robin. C'est le frère de Lilas.

Un beau grand brun est apparu devant moi.

Moi : Enchantée. Je m'appelle Léa Olivier. Je suis la sœur de Félix.

Félix : *Petite* sœur.

Robin (en souriant et en révélant deux adorables fossettes) : Moi, je ne te dirai pas mon nom de famille, parce que je pense que tu ne t'en remettrais pas.

Moi : Allez ! C'est le jour de l'An !

Robin : C'est trop honteux.

Moi : J'ai besoin de rire.

Robin : Dubois. Je m'appelle Robin Dubois, frère de Lilas Dubois. C'est ça, avoir des parents hippies.

J'ai éclaté de rire.

Moi : Tu devrais devenir chanteur. Ou auteur. Ton nom est juste trop vendeur !
Robin : Bonne idée ! Tu pourrais être mon agente !
Moi : Ça promet ! Je vais aller danser avec mon amie, mais on se parlera de nos projets professionnels plus tard !

Je l'ai salué de la main et j'ai tiré Marilou sur la piste de danse.

Marilou (en souriant) : Je suis tellement contente de retrouver la Léa qui a de l'assurance !
Moi (en lui prenant la main) : Et moi, je suis heureuse d'être ici avec toi !

On a dansé pendant plus d'une heure et mon frère et ses amis se sont bientôt joints à nous.
Robin (en criant dans mon oreille) : Est-ce que tu crois au coup de foudre ?
Moi : Je ne sais plus trop.
Robin (en me souriant) : Moi j'y crois depuis ce soir.
Moi (en riant) : Es-tu sûr que ce n'est pas l'alcool qui te fait halluciner ?

Robin : Je suis sobre. Et conducteur attitré.

Moi : C'est bien, ça !

Robin : Pourquoi Zack ne m'a jamais dit que son ami avait une sœur aussi magnifique ?

Moi : Parce que comme je ne m'appelle pas Marguerite ou Rose, je n'ai aucun attrait pour lui.

Robin a éclaté de rire.

Robin : Tu es irrésistible.

Moi : Tu capotes.

Robin : Je te jure ! C'est vraiment rare qu'une fille me fasse cet effet-là.

Moi : Es-tu sûr que ce n'est pas le genre de réplique que tu sers à chaque fille que tu rencontres ?

Robin : Je suis un célibataire endurci et je suis vraiment difficile. Demande à Zack. Ou à Lilas.

Moi : Tu me connais depuis une heure.

Robin : Et c'est assez pour savoir que je veux te revoir.

Marilou m'a aussitôt tirée par le bras.

Marilou (en criant pour se faire entendre) : Désolée de t'interrompre, Robin des Bois, mais Léa et moi devons nous absenter quelques instants.

Elle m'a guidée vers la baie vitrée. La musique y était moins forte.

Marilou : Il reste cinq minutes avant minuit. C'est l'heure des résolutions.
Moi (en sortant une petite feuille de mon sac à main) : Ma première, tu la connais : je veux arrêter d'espérer qu'Alex et moi, on finisse ensemble.
Marilou : Il n'y a rien de mal à espérer, Léa. Il ne faut juste pas que ça t'empêche d'avancer.
Moi : Dans mon cas, je ne crois pas que ce soit possible. À ton tour.
Marilou : Je veux que l'expérience que j'ai vécue avec JP nous rapproche au lieu de nous éloigner. Et pour ça, il faut que je lui en parle. Et que je me laisse aller un peu plus. À toi.
Moi : Une autre sur Alex : j'aimerais qu'on puisse éventuellement profiter des derniers mois qui nous restent. Comme amis. Si c'est possible.
Marilou : Peut-être que si tu tues l'espoir amoureux, tu feras renaître l'amitié ?
Moi : C'est ce qui m'amène à ma troisième résolution : il faut que je trouve une façon d'arrêter de l'aimer.
Marilou (en riant) : Une recette miracle contre les peines d'amour ? Ça te rendra riche !
Moi : À ton tour !

Marilou : J'aimerais sortir Sarah Beaupré de ma vie pour toujours et terminer cette guerre une fois pour toutes. À toi !
Moi : Je veux être acceptée en lettres au cégep. Ton tour !
Marilou : Je veux aller étudier à Québec. À toi !
Moi : Je veux être capable d'être heureuse toute seule et arrêter de vivre des mélodrames à cause des gars. Ton tour !

Marilou a pris une profonde inspiration avant de lire sa dernière résolution.

Marilou : Je veux trouver le courage d'expliquer à JP que depuis qu'il a abordé le sujet avec moi au début novembre, je ressens un peu de panique quand je pense au futur. Je l'aime et je ne veux pas le perdre, mais je suis un peu trop jeune pour planifier mon avenir au quart de tour. J'aimerais laisser de la place aux surprises qui m'attendent en cours de route.
Moi : Pourquoi tu ne m'en avais pas parlé ?
Marilou : Parce que je pensais que ça allait passer. Mais on dirait que depuis qu'on s'est rapprochés physiquement, ça ne fait que s'amplifier.
Moi : C'est normal. Tu sens que ça devient de plus en plus sérieux.
Marilou : Ouais. Je veux juste éviter qu'il se sente blessé ou qu'il ait peur que je le laisse. Car ce n'est pas du tout le cas.

Moi : Je suis sûre que tu vas trouver une façon de le lui dire, Lou.
Marilou : Et toi, quelle est ta dernière résolution ?
Moi : Je veux profiter un peu plus de la vie. Avoir du *fun* sans me casser la tête et me mettre les pieds dans les plats. Je pense que ça s'appelle de la maturité.
La foule : Cinq, quatre, trois, deux, un... BONNE ANNÉE !
Marilou (en me sautant au cou) : Bonne année, Léa ! Je ne sais pas ce que je ferais sans toi !
Moi (en la serrant très fort) : Moi non plus. D'ailleurs, je veux rajouter une résolution.
Marilou (en riant) : Je t'écoute !
Moi : J'aimerais ça que l'an prochain, quand on va avoir dix-huit ans, on parte en voyage ensemble. Juste nous deux. Avec notre sac à dos.
Marilou (en se mettant à hurler de joie) : OUIIIIIII ! Tellement !

Mon frère s'est alors joint à nous.

Félix (en me serrant dans ses bras) : Bonne année, la p'tite ! Je nous en souhaite une sans peine d'amour !
Moi : Moi aussi ! Bonne année, Félix !

Il s'est alors penché vers Marilou et a déposé un baiser chaste sur sa joue.
Félix : Bonne année, Lou.

Marilou : Toi aussi, Félix. Essaie de te tenir loin des amies de Léa, cette année !
Félix (en riant) : Je vais essayer !

On a rejoint les autres et on a dansé jusqu'à deux heures. Juste avant de partir, Robin m'a demandé mon numéro de cellulaire, et j'ai vu ce matin qu'il m'avait déjà ajoutée sur Facebook. Je ne suis pas encore certaine si je vais le revoir. Tout ce que je sais, c'est que Marilou, Félix, Éloi, Katherine et toi m'avez aidée à tourner une page importante et que je suis déterminée à commencer la nouvelle année de manière plus positive. J'ai envie d'être heureuse et je sais que je peux compter sur mes amis pour y arriver ! Longue vie à #NouvelleJeanne et #NouvelleLéa ! Je sens que plusieurs aventures les attendent !

J'ai hâte de te revoir !
Léa xox

À suivre...